LA FELICIDAD
NO ES UN SECRETO

KAREN KELLY

LA FELICIDAD
NO ES UN SECRETO

Todas las claves de *El secreto*

Zenith / DIANA

0Obra editada en colaboración con Editorial Planeta – España

© 2008, Karen Kelly
© 2008, Editorial Planeta, S.A. – Barcelona, España

Derechos reservados

© 2008, Editorial Diana, S.A. de C.V.
Avenida Presidente Masarik núm. 111, 2o. piso
Colonia Chapultepec Morales
C.P. 11570 México, D.F.
www.diana.com.mx

Primera edición impresa en España: junio de 2008
ISBN: 978-84-08-06372-8

Primera edición impresa en México: julio de 2008
ISBN: 978-968-13-4403-0

Impreso en los talleres de Litográfica Ingramex, S.A. de C.V.
Centeno núm. 162, colonia Granjas Esmeralda, México, D.F.
Impreso en México – *Printed in Mexico*

A mi padre, William H. Kelly, quien me aconsejó
que no hay que apostar nunca por un caballo
si no crees que puede ganar

Hay algo en un secreto que obliga a la gente a creer.

GRAHAM GREEN,
Nuestro hombre en La Habana (versión filmada)

AGRADECIMIENTOS

Escribir este libro ha supuesto para mí un viaje personal extraordinariamente instructivo, en el que muchas personas me han acompañado. En primer lugar quiero dar las gracias a Madeleine Morel de 2M Communications no sólo por confiar en mi capacidad, sino por su ánimo, buenos consejos y sentido del humor. Muchas gracias al editor Thomas Dunne, quien planteó una pregunta y me brindó el privilegio de responderla. Erin Brown es la mejor directora que existe; me tomó de la mano y se zambulló conmigo en la parte más honda de la piscina. Su hospitalidad sureña me hizo sentir como si la conociera de toda la vida.

Las maravillosas personas de St. Martin's son un ejemplo de lo que significa de verdad trabajar en equipo. Gracias a Martha Cameron por su extraordinario trabajo de corrección, a las asistentes legales

Diana Frost y Surie Rudoff, a la editora de producción Julie Gutin y a la directora editorial Amelie Littell.

Hay muchos sabios y eruditos, estudiosos, científicos, psicólogos, doctores, filósofos, realizadores, teólogos, escritores y periodistas que, de manera desinteresada y con buen humor, han compartido su tiempo y sus conocimientos conmigo, y me han ayudado a conocer más cosas de sus respectivos ámbitos. Todos ellos merecen, por su generosidad, una mención especial (en orden alfabético):

Virgil E. Barnes, doctor en Filosofía, Purdue University

Sahron Begley, *Newsweek*

J. Douglas Bremner, doctor en Filosofía, Emory University

Howard Brody, doctor en Medicina, Institute for the Medical Humanities at the University of Texas Medical Branch

Alice Calaprice

Betsy Chasse

Hohn Demartini

Rabino Geoffrey Dennis, Congregación Kol Ami, Flower Mound, Texas

Norman Doidge, doctor en Medicina, University of Toronto and Columbia University

David Felten, doctor en Medicina, doctor en Filosofía, Beaumont Research Institute

Arielle Ford, the Ford Sisters and the Spiritual Cinema Circle

John Gray

Robert Griffiths, doctor en Filosofía, Carnegie-Mellon University

Henry Jenkins, doctor en Filosofía, Massachussetts Institute of Technology

Ben Johnson, doctor en Medicina

Gail Jones

John Kremer

Ellen Langer, doctora en Filosofía, Harvard University

Robert L. Leahy, doctor en Filosofía, Weill Medical College at Cornell University

Joel Myerson, doctor en Filosofía, University of South Carolina

David Nasaw, doctor en Filosofía, City University of New York

Sara Nelson, *Publishers Weekly*

Dennis Overbye, *The New York Times*

Kristine Pidkameny, One Spirit Book Club

Camille Ricketts, *The Wall Street Journal*

Allen Salkin, *The New York Times*

Connie Sayre, Market Partners International

Richard Seager, doctor en Filosofía, Hamilton College

Howard Segal, doctor en Filosofía, University of Maine

Darren Sherkat, doctor en Filosofía, Southern Illinois University at Carbondale

Laura Smith, Lime Radio

Alan Sokal, doctor en Filosofía, New York University

Lee Spector, doctor en Filosofía, Hampshire College

Phillips Stevens Jr., State University of New York at Buffalo

John Suler, doctor en Filosofía, Rider University

Pastor Oliver «Buzz» Thomas

Jean Twenge, doctora en Filosofía, San Diego State University

Priscilla Wald, doctora en Filosofía, Duke University

Clifford M. Will, doctor en Filosofía, Washington University

Fred Alan Wolf

Un agradecimiento muy especial a Susan Kelly, doctora en Filosofía, estudiosa de la época medieval y profesora adjunta de periodismo literario en Hampshire College, y una hermana maravillosa, por su inestimable ayuda para acceder a los archivos y a la investigación de figuras históricas y por sus ideas sobre el teatro de Shakespeare y la filosofía isabelina; a

Randy Sandke, músico e historiador musical, y amante esposo, por su extensa biblioteca sobre Beethoven y por sus importantes aportaciones sobre la vida, obra y filosofía del compositor, así como por las observaciones sobre Thomas Edison y la primitiva industria del disco (y por reproducir ejemplares de los discos Edison en fonógrafos Edison); y a John Belton, profesor de inglés y cinematografía en Rutgers University, consejero, experto en cine y amigo, por compartir sus puntos de vista sobre teoría del cine y cultura norteamericana.

Hay un pequeño grupo de familiares, amigos y colegas inquebrantables que son fuente de continua inspiración, apoyo moral, aliento general, y que resultan especialmente importantes a la hora de enfrentarse a un proyecto editorial. Ellos son «el secreto» de mi éxito: mis queridos padres, William y Constance Kelly, mi hermana Nancy Kelly, mi hermano William Kelly, Claudia Cross, de Sterling Lord Literistic, Charles Winecoff, Mary Bolster, Bonnie Bauman, C. Claiborne Ray, Mauro DiPreta, Janis Spindel, Marta Tracy, Terence Noonan y todas mis hermanas de P. E. O. NY Chapter R.

Un último saludo va dirigido a mis dos musas y constantes compañeros: Puff Daddy y Julius. ¡Miau!

INTRODUCCIÓN

EL SECRETO DESVELADO

El secreto comenzó como un documental realizado por la productora de televisión australiana Rhonda Byrne, que luego continuó con un libro del mismo título. Para empezar, revelaré el secreto por si aún no sabes de qué se trata, aunque puede que ya lo conozcas. Se trata de la ley de la atracción, una idea que circula desde hace mucho tiempo, según la cual se puede alcanzar cualquier meta, conseguir todo lo que se quiera y gozar de una salud perfecta. Tan sólo hace falta proyectar pensamientos positivos sobre cualquier cosa que el corazón ambicione. Lo semejante atrae a lo semejante. Al pensar negativamente atraes la negatividad hacia ti. Piensa en un deseo de una manera positiva y lo atraerás. En realidad, como veremos, no es algo tan sencillo, pero de momento nos quedaremos con esta explicación.

El 2 de marzo de 2007, la editorial de *El secreto*,

Atria Books/Beyond Words Publishing, anunció que había encargado una reedición del libro (nada nuevo tratándose de obras que se sitúan en la lista nacional de los más vendidos durante varias semanas).

Lo que sorprendió a la industria editorial fue el número de ejemplares que se iban a imprimir: dos millones. Era, pues, la mayor reimpresión de un título en la historia de Simon & Schuster, la distribuidora del libro y propietaria de la editorial Atria. Ciertamente era algo inaudito para Beyond Words, la pequeña editora que la adquirió. La nueva edición hizo subir el número oficial de ejemplares impresos a 3,75 millones. Además, la versión en audio del libro y la versión en DVD de la película también se han situado en las primeras posiciones en las listas de los más vendidos y, para aumentar todavía más el alcance de *El secreto*, editoriales de veinte países han comprado los derechos del libro.

Si uno teclea *El secreto* en el buscador Google aparecen 264 millones de entradas. Entre ellas hay páginas web de cientos de *coaches* o instructores vitales, gurús espirituales y practicantes de medicina alternativa que publicitan seminarios, sesiones y orientaciones sobre *El secreto*, y que utilizan a menudo la misma tipografía y el mismo logotipo que adornan el libro y el estuche de la película. Los *bloggers* analizan con detalle los mensajes del libro y la película, mientras montones de seguidores y detractores de toda Norteamérica, por no decir del mundo entero, cuelgan en Internet testimonios del poder de *El secreto*, además de críticas de lo que algunos califican como dudoso enfoque del materialismo. Reputados periódicos, revistas y programas televisivos que van desde *The Wall Street Journal* hasta *Newsweek*, «Oprah», «Larry King Live», «Fox & Friends», e incluso «Nightline», programa serio y centrado en la información, han dedicado espacio a este libro. Una búsqueda en LexisNexis, el archivo *online* de los contenidos de periódicos y revistas, muestra que se han publicado más de 150 artículos (tanto a favor como en contra) sobre *El secreto*, desde su publicación en noviembre de 2006. Es más, el *blogger* Russell Portwood ha escrito un artículo *online* de *El secreto* con la intención de poner a la venta sus propios productos (www.zweber. com/thesecret/exposed.pdf), y varios editores están sacando al mercado manuales sobre la ley de la atracción. Y esto es tan sólo la punta del iceberg, pues se trata de un fenómeno a escala mundial. Entonces, ¿a qué viene tanto alboroto?

Ésta es la pregunta que me propongo contestar, y el resultado es este libro.

Algo que conmociona a las masas no puede considerarse trivial; significa algo. En mis tiempos de estudiante de antropología en la década de los setenta y durante mis estudios de posgrado sobre cinematografía a comienzos de la de los ochenta, era de rigor estudiar la cultura pop en un marco académico. Aprendí a apreciar las idas y venidas de las tendencias sin sentirme superior a ellas. No lo soy, y tú tampoco lo eres. Así que observa más de cerca un hecho singular como el sensacionalismo que envuelve *El secreto* y entenderás mejor el mundo en que vives y, por ende, a ti mismo. Ésta ha sido mi experiencia mientras escribía el libro y espero que sea la tuya al leerlo.

Por poner un ejemplo, recité el mantra: «Conseguiré subirme la cremallera de la falda de tubo hasta arriba» unas veinte o treinta veces antes de dirigirme al armario de la ropa. ¿Es por esto que mi exclusiva (y estrechísima) falda de Gil Sander me sienta bien?, ¿o se debe a que me he estado machacando literalmente el trasero en la bicicleta elíptica del gimnasio? En cualquier caso tengo claro que nunca me la pondré sin seguir primero los pasos del pensamiento positivo, no sea que mis muslos revienten sus delicadas costuras.

El experimento con mi falda es una de las razones por las que no tengo ninguna intención de desacreditar *El secreto* o rebajarlo. Tampoco es el motivo para cantar sus alabanzas y animar a todos a dejar lo que estén haciendo y comenzar a visualizar las riquezas que, sin duda, nos merecemos. Hay personas muy listas y razonables a ambos lados del debate sobre *El secreto*, y dejaré que algunas compartan aquí sus fascinantes y útiles ideas. He intentado llevar a cabo mi investigación de manera sobria y respetuosa pero, seamos claros, uno no puede aproximarse a una línea de reflexión al límite entre la realidad y lo paranormal sin cierto sentido del humor.

El resultado del viaje en que me he embarcado es esta explicación muy documentada de cómo *El secreto* ha alcanzado tal impulso, cuáles son sus defectos y características, de dónde procede y si las personas que, según Byrne, vivieron siguiendo sus enseñanzas, lo hicieron realmente. Para facilitar la asimilación de mis argumentos, *La felicidad no es un secreto* está organizado en tres secciones.

La primera parte define y examina el fenómeno de *El secreto*. Expertos del mundo editorial, observadores culturales y periodistas valoran por qué la película, el libro y la *idea* conectaron con la sensibilidad del público, y qué relación tiene con el actual clima social y político en Estados Unidos. Aquí va una pista: Bush podría ser el culpable, aunque también podría no serlo.

La segunda parte intenta sacar a la luz las pruebas históricas, científicas y teológicas que, según la autora, apoyan e incluso confirman que la ley de la atracción funciona. Conversé con algunas personas sinceras y razonables que aparecen en *El secreto*, además de con teólogos imparciales, expertos en física cuántica, científicos cerebrales, psicólogos y otros académicos que no salen en el libro o la película pero que tuvieron el valor de atender mis llamadas, contestar mis *e-mails* y accedieron a concederme una entrevista. Algunos me colgaron el teléfono; otros nunca respondieron a mi amable solicitud de disponer de un poco de su tiempo, por lo que consideré su silencio como una negativa. Me sorprende cuántos profesores de cultura popular, estudios norteamericanos y estudios de cinematografía me rechazaron porque nunca habían oído hablar de *El secreto*. ¿No debería formar parte de su trabajo estar al día aunque sea mínimamente?

La tercera parte hace un repaso de trece figuras históricas mencionadas en *El secreto* porque, según asegura su autora, utilizaron la ley de la atracción aunque fuera de manera inconsciente. Ludwig Van Beethoven, William Shakespeare, Thomas Edison o Andrew Carnegie, son algunos de ellos. «Las personas que han acumulado riqueza han utilizado el secreto consciente o inconscientemente», escribe.

He examinado lo que se sabe de estos personajes en lo que a sus filosofías, creencias y convicciones religiosas se refiere para revelar cómo la ley de la atracción puede, o no, haber jugado un papel en sus trabajos y en sus vidas. Es realmente sorprendente. Por ejemplo, Beethoven tenía libros en su biblioteca que podrían catalogarse como metafísicos; ahora bien, el que tuvieran algo que ver con su éxito es otro asunto bien distinto, sobre todo si se tiene en cuenta que acomplejado por su baja estatura, con el rostro marcado por la viruela y envidioso de la aristocracia, Beethoven no era dado a dejarse llevar por el optimismo. Eso sí, tenía talento.

Mi conclusión es... Bueno, será mejor que leas el libro hasta el final para averiguarlo, pero ahora te daré una pista (¡o tres!) perfectamente enunciadas por P. T. Barnum (un personaje que no se menciona en *El secreto*), y no me refiero a su máxima más famosa («Cada minuto nace un primo»):

1. «Sin promoción no se consigue... ¡Nada!»
2. «En general más personas han sido embaucadas por no creer en nada que por creer demasiado.»
3. «Los que realmente desean conseguir su independencia sólo tienen que mentalizarse y adoptar las medidas necesarias, como harían con cualquier otro objetivo que quisieran alcanzar, y ya estará hecho.»

Quisiera pensar que Barnum, *showman* con fama de desmontar afirmaciones falsas, pero también un maestro en el arte de hacer dinero, aprobaría *El secreto* por dos motivos: su capacidad de atrapar y seducir la imaginación del público norteamericano y su filosofía esencial, según la cual puedes realizar cualquier cosa que te propongas (lo que también incluye ganar dinero). Después de todo, en 1880 Barnum escribió su propia guía de autoayuda para conseguir riqueza: *Art of money getting*, que se puede descargar gratis en: www.deceptionary.com/ftp/PTBarnum.pdf. Irónicamente, la fórmula que Barnum prescribe refleja el viaje que Rhonda Byrne parece haber realizado con *El secreto*. Éste consiste en tomar la carretera principal. Yo seré tu guía.

PRIMERA PARTE

¿POR QUÉ *EL SECRETO* Y POR QUÉ AHORA?

El ascenso de **El secreto** *hacia las listas de los libros más vendidos y hacia los hogares de los consumidores es a la vez tradicional y completamente contemporáneo. Como muchos bestsellers y éxitos de taquilla, está admirablemente realizado, cuidadosamente envuelto y bien comercializado. Como promete grandes cosas a quien lo compre, ha despertado un enorme interés y generado unas ventas fabulosas. Pero lo realmente innovador es que ha utilizado una combinación de bases de datos, distribución por Internet, comunicación boca a oreja transmitida a velocidad de vértigo, y comunicación «viral» para propagar el mensaje. Y, según los expertos en comunicación, psicología y ciencia, todavía algo más ha contribuido a su éxito: era el momento adecuado.*

El conflicto entre fuerzas sociales y políticas, unido a la desorientación general del público, propició que, entre fines de 2006 y principios de 2007, estuviéramos perfectamente preparados para acoger El secreto. *Además, no es nada nuevo para nosotros tener un entusiasmo desatado y un optimismo fácil; el pueblo estadounidense es el más optimista del mundo. Eso sí; ningún libro que prometa la felicidad para toda la vida (sin tener que esforzarse de veras) puede considerarse sin tener en cuenta la historia de los libros de autoayuda que han existido con anterioridad; y los hay a montones. Ahora bien, si los consejos que se dan en estas obras son pura charlatanería, ¿por qué se siguen vendiendo? No soy tan cínica como para creer que sencillamente somos unos ilusos. Quizá se esconde algo más tras la idea de* El secreto.

1

DESDE LAS ANTÍPODAS HASTA LA CUMBRE. CÓMO SE PROPAGÓ *EL SECRETO*

Todavía es demasiado pronto para decir si *El secreto* entrará a formar parte de la lista de libros más vendidos de todos los tiempos. Un pronóstico ya de por sí ambicioso, si tenemos en cuenta que los que están al final han vendido casi treinta millones de copias. Los que ocupan los primeros puestos son títulos que van desde la Biblia (de cincuenta a sesenta mil millones) o *Citas del presidente Mao Zedong* (900 millones, aunque él contaba con un público incondicional), hasta *Harry Potter y la piedra filosofal* (107 millones) o *Juan Salvador Gaviota*, de Richard Bach (40 millones), según datos de Wikipedia.com y Amazon.com. *El secreto*, en cualquier caso, va por buen camino, con casi cuatro millones de ejemplares impresos. Para quienes no trabajan en la industria editorial es difícil entender qué suponen estas cifras tan elevadas, así como el éxito que conlleva vender 100 000 o, por qué no, el millón de ejemplares. Pero lo cierto es que la mayoría de los libros tienen suerte si consiguen llegar a una cifra de ventas de cinco dígitos.

Constance Sayre, directora de la asesoría editorial Market Partners International, va más allá al declarar: «Los escritores no están de acuerdo con que se publiquen 200 000 libros al año, así que alguna vez los editores han coincidido en que hay demasiados libros y han bajado a 195 000 los títulos anuales». Además, añade que los nuevos autores tienen que enfrentarse al hecho de que las librerías independientes «están cayendo como moscas y las ventas de las grandes cadenas están bajando». El libro tiene que competir con una gran diversidad de medios de comunicación electrónicos, y ése es el motivo por el que Sayre y otras personas del mundo editorial coinciden en que el DVD de *El secreto* ha marcado una diferencia tan enorme. Sin un apoyo así, es muy difícil atraer tanto la atención. Es más, de no ser por la película no habría existido el libro; éste es una consecuencia directa de la popularidad del DVD y su contenido real (la mayor parte del libro es una trascripción de lo que dijeron los expertos).

Tanto el DVD como el libro han suscitado muchas quejas y controversia (no se puede negar que la Biblia o *Harry Potter* también las han generado, por supuesto). Pero, aun así, la historia que rodea el libro de

Byrne, su distribución y las inevitables críticas y discusiones que suelen venir a continuación, son lo que los profesores de estudios culturales denominan parte de su «producción». Cuanto más se habla sobre algo, más tiempo existe. La historia de cómo nació, que a estas alturas ha llegado a convertirse en una pequeña leyenda, nos puede dar una lección sobre edición, marketing por Internet, cultura de la convergencia, optimismo, cinismo, inconsciente colectivo e ilusiones.

Inspiración y orígenes

La ley de la atracción no es algo nuevo y ha recibido diferentes nombres a lo largo de los años: pensamiento positivo, psicología, flujo, fe, el poder de la intención o la ley de la abundancia. Tiene incluso una ley contraria, la ley de Murphy. Entonces, ¿hizo Rhonda Byrne un mero refrito de una antigua idea que ya había aparecido varias veces en libros e incluso en películas?

Cuando Allen Salkin, reportero del *New York Times*, le preguntó a Byrne sobre el argumento de *El secreto*, porque le parecía un camelo, ella contestó: «No, no, si usted se fija en *La llave maestra*, era un conocimiento que salía caro y sólo podía adquirirse mediante suscripción». Byrne se refería al programa de Charles Haanel para tener éxito, de veinticuatro semanas de duración, que se publicó originalmente en 1912 y costaba alrededor de 1500 dólares, una suma considerable en aquella época. Hoy en día está ampliamente disponible en una edición asequible e incluso he encontrado una versión gratuita en Internet. Según parece, Byrne creyó que aunque la ley de la atracción no era nueva, la recopilación de esas ideas en un formato fácil de digerir y disponible al instante era algo rompedor.

Según la página web de *El secreto*, www.thesecret.tv, la versión de Byrne, que se presentó primero como DVD, surgió «un día de primavera a fines de 2004». Este dato puede parecer contradictorio para los que vivimos en el hemisferio norte, donde el invierno indica el final del año, pero el lugar de residencia de Byrne se encuentra en Australia, en el hemisferio sur, donde las estaciones van a la inversa. En ese día en concreto, Byrne, de cincuenta y tantos años y madre de dos hijas, se encontraba inmersa en una crisis personal y financiera. Ella misma lo relató en un programa de Oprah. Según decía, su hija Hayley le regaló un libro titulado *La ciencia de hacerse rico*, del escritor de libros de autoayuda Wallace D. Wattles, publicado originalmente en 1910 y todavía en circulación.

El libro de Wattles explica las leyes secretas del universo y, sobre todo, la ley de la atracción, de esta manera: «Un pensamiento, en esencia, engendra lo que el pensamiento imagina». Wattles repite esta idea de varias maneras a lo largo de su libro: «Hay una materia del pensamiento de la cual están hechas todas las cosas y que, en su estado original, a su vez, impregna, penetra y llena los espacios internos del universo. Un pensamiento, en esta sustancia, produce aquello que el pensamiento imagina». Pero el tema no es tan sencillo. Wattles escribe: «Pensar en función de lo que vemos es fácil; lo complicado es hacerlo sin reparar en las apariencias. Eso supone un gasto de energía mayor que el que necesita cualquier otro trabajador para realizar su tarea».

Ya hablaremos de Wattles más adelante pero de momento destacaré que estas citas son un reflejo de lo que dice *El secreto*, y las semejanzas sugieren que Byrne, indudablemente, leyó a Wattles y se inspiró en sus ideas. Sin embargo, como la mayoría de los libros sobre la ley de la atracción exponen unas mismas ideas, existe cierto debate sobre si la obra de Wattles fue la única que inspiró a Byrne a la hora de crear su documental. Y ahora es cuando esta parte de la historia se vuelve interesante.

El periodista Allen Salkin, que escribió sobre *El secreto* para el *New York Times*, dijo que Byrne estaba «totalmente familiarizada» no sólo con otros títulos sobre la ley de la atracción, sino también con una película relacionada con el tema, *¡¿Y tú qué sabes?!*, un documental sobre la ciencia de la mente y el poder de la conciencia realizado en 2004 por William Arntz, Betsy Chasse y Mark Vicente. Salkin describe *El secreto* como «una versión descafeinada y barata de *¿!Y tú qué sabes!?*; aunque puedan parecerse, *¿¡Y tú qué sabes!?* tiene mucho más que ver con la ciencia» que con la espiritualidad, dice.

«Este documental se presentó en Australia mucho antes de que se empezara a preparar *El secreto*», comenta Betsy Chasse, realizadora del film. Precisamente entrevistó a uno de los productores del DVD *El secreto* y le preguntó sobre si *¿¡Y tú qué sabes!?* le había influido o no. «Él contestó que sí y no, así que está claro que tuvo algún efecto sobre los realizadores del DVD. Además, en ambas se entrevistó a un mismo grupo de personas», explicó, entre las que estaban los físicos Fred Alan Wolf y John Hagelin.

Según la versión oficial sobre los inicios del DVD, publicada en la página web de *El secreto*, Byrne profundizó un poco más en la ley de la atracción y descubrió que había personas «vivas en la actualidad» que estaban al corriente de la información y se encontraban, de hecho, inmersas en la redacción de libros, producción de películas y DVD, y realización de talleres y viajes por Estados Unidos donde daban conferencias sobre el tema. Es decir, compartían la información en lugar de guardársela sólo para ellos.

Byrne vio un hueco en el mercado y dijo que quería reunir todos los cabos sueltos de la información en un lugar de fácil acceso y empezó por el documental, un medio que dominaba bastante bien. No en vano, parte del secreto del éxito del DVD es que Byrne es una hábil productora de televisión que sabe lo que hace. La página web de *El secreto* incluye información sobre su compañía de televisión australiana, Prime Time Productions, y enumera una impresionante lista de programas de tipo documental y de redités muy bien valorados como *The world greatest commercials*, además de otros especiales relacionados con éste: *Adults only, Cannes, Funniest commercials ever made* y *Sex Sells*. Otro programa, *Australia behaving badly*, «explora las diferencias entre lo que los australianos dicen que harían guiados por su conciencia y lo que harían en realidad si se encontraran cara a cara con la tentación». *OZ Encounters*, un programa especial de una hora de duración realizado para la televisión pública australiana, presenta fenómenos inexplicables protagonizados por ciudadanos australianos que abarcan desde avistamientos de ovnis por ciudades enteras hasta abducciones de personas llevadas a cabo por alienígenas.

El hecho de que muchos de los practicantes de la ley de la atracción residieran en Estados Unidos hizo que Byrne se dirigiera al hemisferio norte para empezar a rodar con diferentes gurús de autoayuda, un físico y algunos metafísicos. «*El secreto* unió, por primera vez a veinticuatro maestros y sus seguidores en una película», explica John Gray, autor del superventas *Los hombres son de Marte, las mujeres son de Venus*, que aparece en el DVD. Byrne, una productora de televisión con experiencia, sabe cómo atraer la atención de un público amplio. «Explicaban lo mismo de una manera reconfortante y eso, junto con unos buenos gráficos, impactó a la gente. Somos una sociedad visual y vemos cada vez más televisión y leemos menos libros. Nada consigue mantener nuestra atención mucho rato seguido, así que transmitimos nuestras ideas teniendo en cuenta este aspecto», dice Gray.

Entre los expertos que Byrne llamó para participar en el DVD se encontraban Jerry y Esther Hicks, maestros de la ley de la atracción durante mucho tiempo. Los Hicks son dos de los conferenciantes más populares y reconocidos en la actualidad sobre la ley de la atracción (equivalentes a estrellas de rock en el movimiento metafísico). Por tanto, no resulta extraño que Byrne fuera tras ellos. Desde la década de los ochenta, la pareja se ha dedicado a dar conferencias y a escribir sobre la ley de la atracción. Según ellos, sus mensajes proceden de la orientación divina por mediación de un espíritu llamado Abraham que habla a través de Esther (no utilizan el término «canal»). Así, sus libros *La ley de la atracción* y un volumen anterior, *Pide y se te dará*, ambos publicados por la editorial Hay House en septiembre de 2006 y octubre de 2005 respectivamente, han sido «canalizados» por medio de Abraham.

Los Hicks son prolíficos. Durante los últimos veinte años han llevado a cabo más de seiscientos trabajos entre libros inspirados por Abraham, cuadernos de ejercicios, tarjetas, calendarios, casetes y diversos CD y DVD. Byrne se esforzó en que participaran en la primera versión del DVD. En una carta que los Hicks enviaron a amigos y colegas a fines de 2006 (fácilmente localizable en Internet escribiendo la frase «Jerry and Esther Hicks' letter to friends»), la pareja relató su decepción por la manera en que se había desarrollado todo. Decidieron participar y firmaron un acuerdo con Prime Time Productions, la compañía de Byrne, por el que se les concedería un pequeño porcentaje de los beneficios netos y un 10 % sobre las ventas directas del vídeo. Sin embargo, la «voz de Abraham» de Esther fue utilizada como narración en la primera versión del DVD, pero ni Esther ni Jerry aparecían en pantalla.

Una trama enrevesada

La primera versión del DVD se puso a la venta en marzo de 2006. Algo ocurrió entre los Hicks y Byrne, y Esther exigió no aparecer en el DVD, según el artículo de Allen Salkin publicado el 25 de febrero de 2007 en el *New York Times* en que relataba la desavenencia. Esther estaba irritada por el modo en que había sido utilizada en el DVD y sorprendida de que en ningún momento apareciera en pantalla. Así que Byrne volvió a editar el vídeo e incluyó las entrevistas con Esther Hicks.

Pero según la carta de la pareja, el DVD revisado fue distribuido de manera diferente a la prometida originalmente (en televisión y a la venta en tiendas). Byrne les había pedido que revisaran el contrato que habían firmado para permitir otros sistemas de distribución, pues, aunque pretendía utilizar la vía tradicional de emisión en televisión, la retransmisión de los Juegos Olímpicos de invierno de 2006 se interpuso en su camino. Así pues, finalmente decidió poner el DVD a disposición del público vía Internet al precio de 4,95 dólares la descarga, lo que resultó ser una brillante idea de marketing.

Las partes no pudieron llegar a un acuerdo y Byrne volvió por segunda vez a editar el vídeo, eliminando completamente la voz e imagen de Esther, así como cualquier reconocimiento a su contribución intelectual. Para compensar la pérdida de Esther Hicks, Byrne incluyó a Lisa Nichols, escritora que aparecía en *Chicken soup for the African American soul* (que forma parte de la serie de libros de éxito de Jack Canfield, que también aparece en *El secreto*) y Marci Shimoff, colaboradora en *Sopa de pollo para el alma de la mujer*. (Byrne sí que incluye a los Hicks y las enseñanzas de Abraham en la sección de agradecimientos del libro.)

Ningún otro participante recibió pago alguno por su contribución, si bien es cierto que han cosechado beneficios con su aparición en el DVD, como describiré más adelante. Según el *New York Times*, la pareja dijo que ganó unos 500 000 dólares con las ventas del DVD de la «versión Hicks» original, pero que no recibían ningún dinero procedente de las ventas ahora que el DVD había sufrido nuevos cortes.

En su carta, los Hicks afirmaban sentirse muy felices al ver la película, que consideran que representa la ley de la atracción de Abraham de una manera sencilla que facilita su acceso a mucha gente. *El secreto* ofrece sin duda los principios más básicos de la ley de la atracción, y su explicación optimista es un aspecto del libro que ha sido criticado por quienes los conocen desde hace mucho tiempo.

Kristine Pidkameny, redactora jefe de *One Spirit*

Book Club y experta en literatura metafísica, establece una distinción entre *El secreto* y el trabajo de los Hicks, y señala: «La diferencia estriba en que los Hicks ofrecen puro contenido; uno puede mirar varias veces una de sus charlas y con cada nuevo visionado aprender algo. *Pide y se te dará, Amazing power of deliberate intention* y *La ley de la atracción* son claros pero con muchos niveles de información. *El secreto* en cambio es más astuto. La primera vez que lo vi tuve que estar alerta y repetirme a mí misma: "Debo analizarlo con claridad, sin relacionarlo con lo que ya he visto".».

Más de una fuente de información me ha comentado que los Hicks no son realmente tan magnánimos como sugiere su carta. Si realmente están más enfadados de lo que quieren reconocer, lo cual es bastante creíble, resulta difícil echarles la culpa. Es admirable la dignidad que muestran al ser tan comedidos. Allen Salkin justifica que sean tan susceptibles porque también se sintieron utilizados por otra autora, Lynn Grabhorn, quien, pensaban ellos, había tomado prestado su trabajo con demasiada libertad sin concederles a cambio el suficiente reconocimiento. Grabhorn había sido con anterioridad una profesional de la publicidad en Nueva York. También fundó una compañía de educación audiovisual en Los Ángeles, antes de mudarse al estado de Washington donde dirigió una compañía hipotecaria. Según Allen Salkin, en la década de los noventa había asistido a un seminario de los Hicks y había quedado tan impresionada que, al acabar, se acercó a la pareja con una idea. Les preguntó: «¿Me dejarían utilizar este material para escribir un libro?».

No está claro de qué manera respondieron los Hicks a su pregunta, pero Grabhorn se sintió con la suficiente confianza como para seguir con su objetivo y el resultado es el libro *Disculpa, tu vida te está esperando*, que publicó por su cuenta a fines de la década de los noventa y más tarde vendió a una pequeña editorial, Hampton Roads, que lo reeditó en 1999. Al libro le siguieron otros productos relacionados y talleres (el más destacado es su *Curso de Vida 101*). «Grabhorn plagió a los Hicks y éste es el motivo por el que se molestaron con Rhonda. Tienen la sensación de que todo el mundo se dedica a quitarles algo», dice Salkin.

Grabhorn murió el 5 de mayo de 2004, así que aunque su *Curso de Vida 101* ha dejado de impartirse, según su página web, por razones obvias, su presencia en Internet continúa y aún pueden comprarse sus libros y productos. Como la ley de la atracción no es algo nuevo, cualquiera puede usar e interpretar el concepto. De todos modos, Grabhorn tiene un pequeño gesto con los Hicks en la introducción del libro, donde al describir su búsqueda espiritual para extraer algo más de la vida, menciona sus encuentros con «eruditos profesores de física» y el estudio de «ciencias esotéricas».

Lo que escribe a continuación es importante para comprender por qué los Hicks, o cualquier otro en su lugar, se podrían sentir ofendidos:

> Naturalmente, dado mi amplio conocimiento sobre el tema, cuando me topé con algunas enseñanzas provincianas de esta familia de maestros iletrados y acientíficos, mi primer impulso fue menospreciar la información por la manera en que simplificaban hasta límites extremos lo que yo consideraba un tema impresionante. Después, y muy a mi pesar, empecé a investigar esta cinta vacía de contenido que un amigo bien intencionado tuvo la mala idea de mostrarme.

Tras su investigación, descubrió que había algo sustancioso en lo que los Hicks decían y tomó una decisión crucial: «Y así, con mi propio estilo y palabras he dado forma a las enseñanzas profundamente simples de la familia Hicks de Texas*». El asterisco se refiere a una nota a pie de página con un apartado de correos perteneciente a los Hicks, supongo; la anotación dice simplemente: «P O Box 690070, San Antonio, TX 78296». Los Hicks no recibieron ninguna compensación de Grabhorn a cambio de su «reedición».

El libro *Excuse me, your life is now: Mastering the law of attraction*, cuya autora es otra *life coach* o instructora vital, Doreen Banaszak, continúa el trabajo de Grabhorn. Un mensaje de Grabhorn puesto en su página web (www.lynngrabhorn.com/messagefromlynn.htm), insta a los lectores a continuar enseñando y utilizando la ley de la atracción. Banaszak describe en una carta a sus lectores cómo los editores de Hampton Roads le pidieron que continuara el trabajo de Grabhorn tras su muerte (www.your-life-is-now.com/aboutlynnandi. html), y menciona que está familiarizada con Abraham y los Hicks.

En la actualidad, y a pesar de todos aquellos que han tomado *prestado* y han sacado provecho del trabajo de los Hicks, ellos continúan impartiendo cursos por todo el país, atendiendo y formando a una gran base de seguidores desde su autocaravana de lujo. «Los Hicks visitan las ciudades una o dos veces al año, y para muchas personas ese único día con Jerry y Esther equivale a la práctica religiosa de todo un año», dice Salkin. Kristine Pidkameny, de *One Spirit*, asegura que su club del libro ofrece material de los Hicks y que tiene mucho éxito. «Son populares entre nuestros socios. No he tenido el gusto de conocerlos en persona, pero trabajo con gente que los conoce y todos están impresionados por su enfoque positivo. No dejan que nadie ni nada negativo aparezca en sus vidas. Tienen que predicar con el ejemplo.»

Cuando los Hicks dieron por terminada su relación con Byrne, la productora tuvo las manos libres para comenzar a distribuir la versión actual del DVD sin preocuparse por problemas contractuales.

El milagro del mercado

El éxito del DVD, y posteriormente del libro, no se basa simplemente en la cualidad y la naturaleza misteriosa de su contenido. Arielle Ford, directora de The Ford Group, una compañía de relaciones públicas especializada en categorías metafísicas e inspiradoras, explica: «Fue un golpe de efecto en cuanto a marketing. Hay muchísimos libros y películas sobre la ley de la atracción, pero Rhonda hizo su entrada como productora de televisión, le dio un toque misterioso y la posicionó como una información que desterraba mitos. Fue un proceso que se realizó poco a poco». El éxito de ambos productos se debe tanto a la manera en que el DVD llegó al público, como al diseño del libro y la película. «Rhonda llevó a cabo todo el proceso de una manera tan hábil que hizo que realmente pareciera un secreto», replica Allen Salkin. «Sabe cómo plantear un espectáculo de televisión. Hay mucho truco de magia en *El secreto*.»

Según John Kremer, gurú del marketing de libros y autor de *1001 ways to market your book*, *El secreto* encontró su audiencia de una manera nada convencional para la mayoría de los libros metafísicos y sobre *New Age* o Nueva Era. «Prácticamente cada *bestseller* de las categorías espirituales de autoayuda y todos los que han aparecido en la lista del *New York Times* durante los últimos veinte años, están allí porque el autor ha aparecido en público y ha hablado incansablemente sobre su obra. En este caso, sin embargo, su autora no lo ha hecho de una forma activa. En cambio, ha creado una campaña viral para el DVD con la que ha conseguido que creciese el interés por el libro. No debe sorprendernos que se saltara las normas.»

La promoción de este libro se convertirá con toda probabilidad en un ejemplo clásico de cómo se puede aprovechar un tema de interés minoritario y hacerlo atractivo para el público en general, gran parte del cual no estaba interesado ni familiarizado con el pensamiento Nueva Era o, como suele denominarse hoy, metafísico. En efecto, la metafísica es una línea probada de investigación académica, el estudio de la naturaleza y su interconexión con todas las cosas, pero se la han apropiado los pensadores de la Nueva Era para propósitos más espirituales. Es una categoría ecléctica que incluye cuestiones de salud, medicina, filosofía, psicología, multiculturalidad y una mezcla de creencias religiosas.

En su decisivo libro homónimo de 2001, Paul H. Ray y Sherry Ruth Anderson califican como «creativos culturales» a quienes están interesados en la metafísica. Argumentan que aproximadamente el 26% de la población entra dentro de esta categoría, que incluye a personas profundamente preocupadas por temas como el medio ambiente, las relaciones, la justicia social, la renovación personal, la creatividad y la espiritualidad. Gaiam, compañía con sede en Colorado, se dedica a crear productos e información dirigida específicamente a los creativos culturales y al mercado de la mente, el cuerpo y el espíritu. Incluso ha acuñado el acrónimo LOHAS para referirse a personas que siguen estilos de vida saludables y sostenibles (Lifestyles Of Health and Sustainability).

Este grupo fue precisamente el primer y principal mercado que tuvo la versión en DVD de *El secreto*. Byrne tenía acceso directo a ellos a través de las bases de datos de los personajes que aparecían en su DVD. «Básicamente los gurús empezaron a comercializar el DVD entre sus propias listas de clientes», dice Salkin. Tal fue el caso de Jack Canfield, Ben Johnson y John Demartini, quienes en sus boletines y mensajes electrónicos alertaban a seguidores e incondicionales de su participación en el DVD. «Rhonda tenía veinticuatro maestros; éstos a su vez tenían una tribuna y una lista de correo electrónico y se lo comunicaron a sus contactos, que hicieron lo mismo con otras personas», explica Arielle Ford.

Aquellos correos electrónicos despertaron su interés al instante, y con un precio por descarga de 4,95 dólares, no les costó demasiado comprar el DVD y contárselo después a sus amigos. Fue precisamente así como oí hablar de *El secreto*. Un amigo de Los Ángeles, muy pragmático y nada religioso, me animó a comprar el DVD por Internet porque «te hace sentir que controlas todo y que tienes posibilidades». Le pregunté cómo se había enterado él. «Mi terapeuta me lo mencionó, luego un amigo del gimnasio y más tarde alguien de Alcohólicos Anónimos.» Llamémoslo marketing viral o comunicación boca-oreja; el caso es que funciona. No hace falta desembolsar grandes sumas en publicidad.

El grupo de realizadores que trabaja en la misma área temática también ayudó a propagar el mensaje. Bety Chasse, la productora de *¿¡Y tú qué sabes!?*, describe la comunidad como una hermandad de personas que tienen por costumbre ayudarse mutuamente puesto que todas comparten la misma misión: ilustrar y educar al mundo. «Tenemos un pacto por el que siempre nos apoyaremos ya que seguimos el mismo camino. *La profecía celestina, Conversaciones con Dios, ¿¡Y tú qué sabes!?*, todos ellos tienen un boletín que llega a cientos de miles de personas en el que mostramos nuestro apoyo al trabajo de los demás. Por tanto, cuando salió al mercado *El secreto*, nos imaginamos que era otra de nuestras criaturas y le cedimos nuestra red de contactos antes de que la película se hiciera tan conocida; creo que eso marcó una gran diferencia, aunque no quieran reconocer que les ayudó de una manera tan significativa. Pero lo cierto es que le hicimos mucha publicidad en nuestros boletines, al igual que otros tantos.»

Desgraciadamente, dice Chasse, los productores de *El secreto* se negaron a hacer lo mismo cuando otros realizadores sacaron al mercado películas propias sobre el mismo tema. No hicieron nada con *El guerrero pacífico* (película de 2007 basada en la novela autobiográfica y *bestseller* de Dan Millman *El camino del guerrero pacífico*) y tampoco participaron, según el productor, cuando *Dentro de la madriguera* (continuación de *¿¡Y tú qué sabes!?*, de Chasse) apareció en DVD. «Ese detalle nos sorprendió y nos resultó extraña la falta de interés de los productores», recuerda Betsy.

Al final, de todas formas, tanto los Hicks, como los participantes en la película y todos los que trabajan en el mismo terreno se han beneficiado de la increíble publicidad que ha proporcionado *El secreto* a la ley de la atracción y a la metafísica. Asistí a un coloquio de dos horas dirigido por John Demartini en el East-West Yoga de Nueva York y, cuando preguntó al público cuántos habían venido porque le habían visto en *El secreto*, el 90% de los presentes levantó la mano. Es más, Demartini no tiene problemas en admitir que *El secreto* le ha brindado nuevas oportunidades al presentar al ya de por sí muy ocupado y exitoso conferenciante ante una nueva audiencia poco o nada familiarizada con sus ideas.

Betsy Chasse cuenta la anécdota de que estaba en una librería del noroeste del Pacífico, donde vive, cuando entró una mujer joven que había visto *El secreto*. «Pidió al dueño algo con más contenido y el propietario le recomendó *¿¡Y tú qué sabes!?* Así que cosas como ésta suceden –explica–. *¿¡Y tú qué sabes!?* siempre ha tenido unas buenas ventas, pero espero que la gente se dé cuenta de que se trata de algo más que simplemente hacerse rico.» Cuando en 2004 salió a la venta el DVD de *¿¡Y tú qué sabes!?*, éste se colocó en la lista de los diez más vendidos de Amazon, dice Chasse, y se ha mantenido dentro de los cien primeros desde entonces. (Estaba en el puesto 136 el día que lo comprobé en Amazon, una posición todavía muy alta considerando que se trata de una película distribuida a pequeña escala y que ya tiene más de cuatro años.)

Las páginas web de los expertos que aparecen en *El secreto*, e incluso los oradores y preparadores de vida que no tienen nada que ver con él, se sirven de éste como eslogan y plataforma para atraer a quienes buscan más información. Continuamente se están publicando libros relacionados con el tema, como el que tienes en tus manos, y otros muchos se encuentran en proceso de elaboración. Por ejemplo, Atria Books ha firmado un contrato para la distribución de un libro y su vídeo correspondiente llamado *Notes from the universe*, de Mike Dooley, que aparece en *El secreto*; James Ray y Lisa Nichols, otros participantes en el DVD, también preparan nuevos libros.

El rumor

Después de que el DVD llegara a su público esencial, comenzó a extenderse un rumor más general que no pasó desapercibido para los medios de comunicación. Llamó la atención, por ejemplo, de Wendy Walter Whitworth, productora ejecutiva de *Larry King live*, y el veterano director del *talk-show* le dedicó dos programas. El primero se emitió el 1 de noviembre de 2006 y en él aparecían colaboradores del DVD y expertos en la ley de atracción, como el *coach* para el éxito Bob Proctor, el *life coach* o preparador de vida John Assaraf, el orador inspirador John Demartini, el reverendo Michael Beckwith y la médium espiritual J. Z. Knight (de soltera Judith Marlene Hampton), nacida en Roswell (Nuevo México), que ahora «canaliza» Ramtha. El segundo programa se emitió el 16 de noviembre de 2006 y esta vez contó con el *coach* para el éxito James Ray, Jack Canfield, famoso por su libro *Sopa de pollo*, el experto en marketing Joe Vitale, el psicólogo George Pratt, y la terapeuta y trabajadora social Jayne Payne.

Poco después, el 28 de noviembre de 2006 se publicó un pequeño libro-guía de cuidada presentación que era básicamente una trascripción del DVD con algún material adicional proporcionado por Byrne. El libro, más bien pequeño y delgado y con una cubierta de aspecto antiguo adornada con la imagen estampada de un sello de cera, daba la sensación de contener información especial. El 1 de diciembre, Ellen DeGeneres emitió un fragmento de *El secreto* en su popular *talk-show* diurno en el que aparecían dos de los participantes, Bob Proctor y John Assaraf.

Los periodistas reaccionaron ante este fenómeno, lo que todavía provocó mayor debate y curiosidad, y se convirtió en la comidilla de Internet, además de fuente de escándalo, celos y chistes. El 27 de enero de 2007, *The Wall Street Journal* fue el primer diario a nivel nacional que se fijó en el tema. La periodista Camille Rickets y sus colegas llegaron hasta el extremo de acuñar un nuevo término para el tipo de DVD y otros medios de comunicación que tienen como fin el perfeccionamiento y la inspiración: *enlightainment*, fusión de los términos *enlightenment* y *entertainment* (una mezcla de «iluminación» y «entretenimiento»). «Tuvimos un debate en mi despacho sobre esta cuestión. El término nació en la oficina tras barajar algunas alternativas», explica. Después de teclear el término en Google para asegurarse de que no estuviera ya en circulación, Camille empezó a utilizarlo en su artículo.

Rickets se sentía personalmente fascinada con la idea de escribir sobre *El secreto*. «Lo enfoqué desde un punto de vista personal. Lo observé en mi propia vida. Mi madre me había enviado un ejemplar, pues es seguidora de esta línea de pensamiento desde hace años. Yo me crié escuchando a Williamson y Hay», explica refiriéndose a Marianne Williamson, la superestrella espiritual afincada en Los Ángeles que ahora actúa como anfitriona en el programa *Oprah & Friends* para la emisora *XM Radio*, y a Louise Hay, prolífica autora de libros de autoayuda y fundadora de la editorial Hay House. «Estaba preparada para dedicarme a *El secreto* y entonces vi que tanto la película como el libro eran líderes de ventas en Amazon. Entonces, sí que tenía sentido que me ocupara del tema.»

El 8 de febrero de 2007, Oprah dedicó un programa entero al libro y volvió a hacerlo la semana siguiente.

El efecto Oprah se encargó del resto. «Es difícil distinguir si un libro se aprovecha de un cierto *zeitgeist* ("espíritu de la época") o lo crea –dice Sara Nelson, editora de la revista especializada *Publishers Weekly*–, pero, en el caso de *El secreto*, creo que gran parte de su enorme éxito se debe al hecho de que Oprah dedicó dos programas enteros a hablar de él. Eso tiene un poder extraordinario.» Nelson asegura que se hace difícil predecir durante cuánto tiempo se seguirá vendiendo el libro, pero el detalle de que la editorial haya solicitado una nueva tirada de dos millones de ejemplares significa, sin ningún género de dudas, que el libro será uno de los más vendidos del año, por lo menos hasta que aparezca la nueva entrega de Harry Potter. «No debemos olvidar que el libro *La nueva psicología del amor*, de M. Scott Peck, permaneció en la lista de los más vendidos durante muchos años», dice haciendo referencia a otra obra de autoayuda muy popular, escrita en 1978, coincidiendo con el florecimiento de la *Me Generation* (generación Yo).

Allen Salkin afirma que el motivo que le llevó a pensar por primera vez en escribir el artículo del 25 de febrero de 2007 para el *New York Times* fue que sabía que varios amigos suyos asistían a reuniones sobre la ley de la atracción. «Mucha gente hablaba de la película. Algo estaba pasando y cobraba fuerza; se palpaba en el ambiente. Como periodista quieres saber lo que pasa y por qué la gente está tan interesada en una idea en concreto. Rhonda consiguió transmitir de una manera genial que había algo misterioso que los poderes fácticos querían ocultar.»

En el número del 5 de marzo de 2007 de la revista *Newsweek* se publicó un artículo algo menos elogioso titulado *Decoding the Secret* en el cual el redactor jefe, Jerry Adler, aportaba un punto de vista bastante más negativo sobre el tema del libro y su mensaje centrado en la adquisición. Además, el 5 de marzo de 2007, Peter Berkinhead publicó otro artículo particularmente mordaz bajo el título *Oprah's ugly secret* en la revista digital *Salon* en el que atacaba a la diva del *talk-show*, por defender lo que él considera un concepto peligroso, materialista y que culpabiliza a las víctimas. Debo decir en defensa de Oprah que este artículo fue una reacción exagerada y una mala interpretación del entusiasmo de la presentadora por *El secreto.*

La mayoría crítica

«Muchos periodistas han señalado los puntos débiles de *El secreto* tras la aparición del artículo del *Wall Street Journal*», admite Ricketts. El sector crítico abarca desde antiguos fieles decepcionados por su exagerada simplificación hasta escépticos que aseguran que la idea es pura fantasía, sin ninguna base real o científica y mucho menos de física cuántica como aseguran sus seguidores. «La gente está tan anonadada con el éxito del libro que intenta buscarle el punto débil, pero realmente creo que puede ocupar un lugar entre los libros de autoayuda. La reacción en contra proviene de quienes no acaban de asimilar que el libro esté recaudando tanto dinero y que piensa que se trata de una estafa por el mero hecho de ser rentable», asegura Ricketts.

Si *El secreto* ofrece una oportunidad, crea un espacio para otras voces menos materialistas y proporciona una manera de mejorar las relaciones, es ahí donde puede residir su verdadera fuerza, afirma Ricketts. «El apartado sobre cómo hacerse rico es una manera de atraer a un público más amplio, pero los que se fijan en ese detalle también reciben su dosis en otros aspectos.»

«Rhonda ha aportado todo lo que era capaz de comprender. Creo que ha hecho un flaco favor a la ley de la atracción porque se ha quedado en la versión más superficial –dice Arielle Ford–. Pero, por otra parte, bendita sea porque ha revelado la idea a un público nuevo.»

Chasse afirma que, tras el formidable recibimiento que tuvo *El secreto*, es posible que Byrne no estuviera preparada para lo que muchos consideran es la arremetida predecible de las críticas, tanto del análisis minucioso de periodistas y otros (autores envidiosos y espectadores incluidos). Después de todo, sus anteriores programas nunca habían alcanzado una audiencia tan enorme, observadora e intransigente. Chasse continúa: «Ahora tiene miedo –haciendo referencia al hecho de que Byrne se alejó de la prensa y dejó de conceder entrevistas–. Nos echaron a la hoguera desde el principio (cuando *¿¡Y tú qué sabes!?* salió al mercado), sabíamos que nos atacarían ferozmente y lo hicieron, así que debíamos hacerlo lo mejor posible. Éramos plenamente conscientes de que todo lo que dijéramos sería tergiversado e intentamos hacerlo lo mejor posible; llegamos con los deberes hechos y nos preparamos para responder a preguntas comprometidas.»

Dos eran, en concreto, las cuestiones que surgían recurrentemente. Una se refiere a la afirmación que hace Byrne en su libro según la cual la gente está gorda porque piensa en la gordura, y no a causa de lo que come. Al contrario, ella recomienda que quien quiera perder peso puede conseguirlo si deja de relacionarse o incluso de mirar a personas con sobrepeso, y si tiene pensamientos positivos mientras come; así que no haría falta privarse de una hamburguesa con patatas fritas cuando apeteciera. «Con el tema del peso lleva las cosas demasiado lejos –dice John Gray–. Es totalmente lógico criticar su idea. La gente debería sentirse mal cuando no se alimenta bien. Otro ejemplo de su manera de ver las cosas sería que si le disparas a alguien pero tienes pensamientos positivos mientras lo haces, entonces esa acción no será mala. Obviamente sí que es una mala acción, e ingerir comida basura sería como disparar contra uno mismo.»

Otra idea que también desató la ira de muchos es que uno se crea su propia realidad y que es efectivamente responsable de todo lo que le ocurra, desde enfermedades genéticas hasta el genocidio. De ahí se puede llegar a la tremenda idea inquietante de que los judíos crearon el Holocausto y los ruandeses invocaron su propio exterminio. En una entrevista, Byrne cometió el error de dar a entender que esto podía ser cierto. Jerry Adler escribe en *Newsweek* que su respuesta sobre la masacre de Ruanda fue que la gente que vive con temor y se siente impotente atrae inconsciente e inocentemente tales acontecimientos. No es así de sencillo, como se verá en el capítulo 3.

Muchos de sus partidarios, sin embargo creen que el libro no ha ido lo suficientemente lejos y que ha obviado algunos detalles sobre cómo y por qué utilizar la ley de la atracción. «No hay nada malo en visualizar una bicicleta –dice Laura Smith, directora de programación de Lime Radio, una marca multimedia dedicada a temas de salud y bienestar, al referirse a una escena del DVD que muestra a un niño que suspira por una reluciente bicicleta roja y que a continuación la consigue–. No se trata simplemente de lograr lo que quieres, y desde luego no deberías hacerlo, por ejemplo, robándolo.»

De todas formas Laura Smith, al igual que todas las personas con las que hablé y que aparecen en el DVD, está satisfecha de que el mensaje de *El secreto* llegue a la gente y les incite a pensar en sus vidas con más profundidad. «Me siento agradecida porque *El secreto* puede haber caído en manos de gente que quizá había dejado de creer que la vida es buena y que la felicidad también puede ser para ellos», dijo haciéndose eco de lo que también me contaron muchos de sus colegas.

Además, las críticas no vienen nada mal al libro. El que esté en marcha un debate a favor y en contra en la prensa, en otros libros (como éste) y en Internet es un aspecto de la promoción de productos mediáticos cada vez más común y perseguido. Los partidarios lo juzgan positivamente, ya que gente que hasta ahora no estaba familiarizada con el tema empieza a hablar de él. Por otra parte les da a los detractores la oportunidad de dar rienda suelta a su menosprecio a raíz del movimiento del Nuevo Pensamiento. Y eso es bueno para el mercado. El debate hace que libros y DVD como *El secreto* se mantengan vivos y tengan buenas ventas. Esto es lo que Henry Jenkins, profesor del Massachussets Institute of Technology (MIT), llama «cultura de la convergencia». El director del programa de estudios comparados sobre medios de comunicación en la MIT, escribe en su libro *Convergence culture*: «El hecho de existir más información sobre cualquier tema concreto de la que podamos retener en nuestra mente hace que estemos más predispuestos a hablar de ello. Esta conversación crea un rumor cada vez más apreciado por la industria de los medios». En otras palabras, ¡no existe la mala publicidad!

Han surgido en el ciberespacio comunidades de *El secreto*, tanto a favor como en contra, que lo analizan, comparten experiencias sobre él y congregan a personas de ideas semejantes de todo el mundo. «La actual cultura de consumo ya no convierte a los receptores en meros consumidores pasivos –dice John Belton, profesor de estudios cinematográficos y culturales en la Universidad de Rutgers–. No nos basta con contar una historia; necesitamos una explicación para ella. Esta película proporciona una plataforma para que otros nos cuenten historias como la que explica por qué esta película o este libro en particular se ven favorecidos frente a otras alternativas narrativas.»

Y así, el ciclo de los medios, creado por gente que a su vez crea medios, continúa, incluido el presente libro.

2

LA CULTURA DE LA ESPERANZA

El tremendo éxito de *El secreto* no es sencillamente el resultado de una enorme campaña promocional. En primer lugar, si se quiere mantener durante un tiempo la curiosidad del público por algo, ya sea un libro, DVD o comida congelada, tiene que existir un ingrediente que atraiga a la gente. Y, por supuesto, es fundamental elegir el momento oportuno. La combinación de seis influencias, en diferentes grados, provocó el vehemente interés tanto por el libro como por el DVD. Las primeras cinco pueden servir como reglas básicas a cualquiera que desee alcanzar un público de amplio espectro con un producto para la superación personal. La última es únicamente para convencidos.

1. Los estadounidenses quieren ser felices.
2. Es el momento oportuno.

3. La generación del *baby boom* quiere dar un nuevo sentido a sus vidas.
4. Una generación más joven y preocupada por
ella misma desea encontrar ese sentido de forma inmediata y más rápida.
5. La tecnología ha abierto nuevas vías de acceso a
la información.
6. Rhonda Byrne utilizó la ley de la atracción para
manifestar el éxito de la propia ley.

La esperanza es lo último que se pierde, por lo menos en Estados Unidos

El secreto forma parte del movimiento por la felicidad
que siempre ha estado presente de una u otra manera
desde los albores de la historia de Estados Unidos. Sus
principios son la vida, la libertad y la búsqueda de la
felicidad. Los estadounidenses consideran que la felicidad les pertenece por derecho natural y la buscan
como y cuando pueden. Según el Centro de Investigación Pew, sólo un 34 % se siente «muy feliz», la mayoría (un 50 %) son «bastante felices» (es decir, les
gustaría ser más felices) y el resto «no se sienten muy
felices». Por consiguiente, la industria de la autoayuda
recauda más de 9 500 millones de dólares al año, según Marketdata Enterprises, empresa de investiga-

ción con sede en Florida. Y la compañía afirma que una de las dos mayores áreas de crecimiento es la de *coaching* personal. (La otra es la de los publirreportajes.)

Los temas de liberación y superación personal que aparecen en *El secreto* son «de interés general», afirma Sara Nelson de *Publishers Weekly*. «Es el poder del pensamiento positivo escrito en letras mayúsculas y simplificado porque, tal como está presentado, no es algo que se tenga que hacer de por vida. Se puede practicar durante veinte minutos y conseguir un BMW. Se trata de la cultura de la superación personal, pero acelerada.»

Los medicamentos son también un medio popular para conseguir un final feliz. La publicación profesional *Lawyers and settlements* de enero de 2007 —su lema, acorde con la ley de la atracción, es «piensa en ganar»— aseguraba que la venta de antidepresivos en Estados Unidos suponía el 66% de todo el mercado mundial, en comparación con el 23% de Europa y el 11% del resto del mundo (sobre todo en Japón). Su venta se ha multiplicado desde que hicieron su aparición en la década de los ochenta medicamentos nuevos como Prozac y Paxil. Según esta publicación, las ventas de antidepresivos en Estados Unidos ascendieron a 240 millones de dólares pero, desde septiembre de 2003 hasta agosto de 2004, se dispararon hasta los 11 200 millones de dólares.

Evidentemente la farmacología tiene un límite y muchas personas buscan otras vías para encontrar la felicidad. «Happiness 101» (101 maneras de alcanzar la felicidad) es una asignatura muy popular en los campus universitarios, incluido el de Harvard, donde la clase del profesor Tal Ben-Shahar, cuyos alumnos han de permanecer de pie, se ocupa de temas como la gratitud, la imposición de metas, las relaciones, la autoestima, el amor y la conexión entre el cuerpo y la mente. ¡Todo eso suena a *El secreto*! Martin Seligman, en la Universidad de Pensilvania, investiga en profundidad el tema de la felicidad desarrollando la disciplina que enseña Ben-Shahar, llamada psicología positiva. La investigación de Seligman muestra que es posible «aprender» a sentirse más satisfecho, estar más comprometido con la vida, encontrar más sentido en la vida diaria, tener expectativas más altas e incluso reír más sin importar las circunstancias. (Más detalles sobre su funcionamiento en el capítulo 3.)

John Suler, profesor de psicología de la religión, entre otros contenidos en la Rider University, dice que el movimiento de psicología positiva se puede remontar hasta escritores como Norman Vincent Peale y sus libros *The art of living* (1937), *Confident living* (1948) y *El poder del pensamiento positivo* (1952).

Con todo, los estudiosos de la felicidad ya impartían consejos mucho antes de 1937. Sobrepasa el objetivo de este libro hacer una historia del movimiento de autoayuda, pero podemos decir que habría tres líneas de pensamiento fundamentales que se remontan a los siglos XVIII y XIX, y que han tenido influencia en la literatura actual de autoayuda: el amor desinteresado, la modificación de la conducta para un crecimiento práctico y personal, y el pensamiento positivo. Se puede apreciar su influencia en toda una gama de *bestsellers* contemporáneos, desde programas de doce etapas hasta *Los siete hábitos de la gente altamente efectiva*, de Stephen R. Covey (1989), *Volver al amor*, de Marianne Williamson (1996; basado en el libro de enfoque cristiano *Un curso de milagros*), *Una vida con propósito*, del predicador baptista Rick Warren (2002) o, por supuesto, *El secreto*.

Unos siglos atrás, los primeros colonos y esforzados pioneros encontraron que la visión presentada en el Nuevo Testamento de una vida llena de privaciones pero rica en sentimientos caritativos les resultaba muy conveniente; les hacía sentir que podían sobrellevar sus sacrificios y duras circunstancias personales porque tenían un objetivo superior y la recompensa llegaría más adelante. En 1770, John Woolman, un cuáquero conocido fundamentalmente por su infatigable trabajo en contra de la esclavitud, escribió un ensayo titulado *Considerations on the true harmony of mankind, and how it is to be maintained.* Su visión sobre el camino hacia la felicidad se centraba en la abnegación:

> He observado aquí cómo los deseos de proporcionar riqueza y llevar una vida regalada han confundido cruelmente a muchos y han sido como trampas para sus vástagos; y aunque algunos se han visto afectados por la comprensión de sus propias dificultades… donde tienen lugar maneras de vivir que tienden a la opresión y, en la búsqueda de la riqueza, los hombres hacen con sus semejantes aquello que no aceptarían para ellos mismos, ya sea al ejercer un poder absoluto sobre ellos o imponerles cargas nada ecuánimes… Así, la armonía de la sociedad se destruye y de aquí nacen con frecuencia conmociones y guerras en el mundo.

Aproximadamente en la misma época en que se publicaba el libro de Woolman, Benjamin Franklin trabajaba en su autobiografía, que acabó en 1788 (disponible gratis en Internet en www.earlyamerica.com/lives/franklin). Franklin tiene un punto de vista diferente sobre el camino hacia la realización que le ha valido el título de padre fundador del movimiento estadounidense de autoayuda. Describe trece virtudes en su citada autobiografía que, una vez dominadas, conferirían a las personas la alegría que anhelan: templanza, silencio, orden, resolución, frugalidad, laboriosidad, sinceridad, justicia, moderación, limpieza, tranquilidad, castidad y humildad.

Franklin, decidido a convertir esas virtudes en hábitos por medio de la práctica consciente, controlaba sus progresos en una especie de *BlackBerry* del siglo XVIII, un calendario que le permitía anotar sus éxitos o fracasos. La frugalidad y la laboriosidad, apuntó, le liberaban de las deudas pendientes, engendraban riqueza e independencia y le facilitaban el ejercicio de la sinceridad y la justicia. La práctica posibilita la perfección, y el dinero puede comprar la felicidad aunque no la integridad. Se puede afirmar aquí que Franklin utilizó la ley de la atracción y consiguió desarrollar sus virtudes activamente a base de pensar resueltamente en esas cualidades y ponerlas en práctica. Sin embargo, al reflexionar sobre los aspectos nocivos, es posible que hubiera atraído también lo negativo. Los biógrafos de Franklin dicen, por ejemplo, que tenía dificultad para conseguir mostrarse humilde.

Otro recurso que Franklin utilizaba para fomentar las virtudes que tanto quería perfeccionar era el uso de las afirmaciones escritas. Escribió que estaba «convencido de que la verdad, sinceridad e integridad en los tratos entre semejantes eran de la máxima importancia para una vida feliz; y *formulé resoluciones por escrito* para practicarlas durante toda mi vida». (La cursiva es de la autora.)

Una afirmación es una declaración expresada para reprogramar la mente con un pensamiento muy específico y positivo, ya sea material o espiritual. Es una herramienta fundamental en muchos sistemas espirituales y de autoayuda, entre ellos el de la ley de la atracción, cuyos postulantes afirman que es necesario escribir lo que deseas *como si fuera cierto* y leerlo cada día. (Esta técnica también tiene vínculos con la terapia cognitiva de la que hablaré en el capítulo 3.) La idea consiste en que al leer esta declaración cada día se cumplirá y te acercará a una felicidad reveladora. *El secreto* hace referencia a la expresión «pide, ten fe, recibe» como paso para lograr tus deseos. «Nombra algo y consíguelo» es otra versión popular de esta idea que tiene su origen en la Biblia. (Byrne cita a Mateo 21, 22 y Marcos 11, 24.)

En aquel día no me preguntaréis nada; en verdad, os digo: cuanto pidiereis al Padre os lo dará en mi nombre. Hasta ahora no habéis pedido nada en mi nombre; pedid y recibiréis, para que sea cumplido vuestro gozo.

(Juan 16, 23-24)

Y lo que pidierais en mi nombre, eso haré para que el Padre sea glorificado en el Hijo; si me pidiereis alguna cosa en mi nombre, yo la haré.

(Juan 14, 13-14)

Si permanecéis en mí y mis palabras permanecen en vosotros, pedid lo que quisiereis, y se os dará.

(Juan 15, 7)

La diferencia entre lo que Franklin escribía y lo que
un practicante moderno de la ley de la atracción podría escribir hoy radica en el contenido. Mientras que
el primero lo hacía para lograr honestidad, ética y dili-
gencia, es más probable que una persona de hoy en día
haga declaraciones del tipo «soy el presidente de una
gran compañía» o «tengo todo el dinero que necesito».

Después de Franklin, se puede considerar a William James, hermano del novelista Henry James,
como la persona más influyente en el tema de la felicidad y el movimiento de autoayuda. Aquí sólo haré
un breve repaso de su trabajo para mostrar el claro
vínculo que existe entre sus creencias y la tradición
de la que surgió *El secreto*, pero si se tiene interés, vale
la pena leer más sobre James, incluidos sus libros.

William James fue un doctor y profesor educado en
Harvard que, en un momento dado de su educación
sufrió una crisis mental, cuya recuperación atribuiría
más tarde a sus creencias religiosas (era cristiano). James fue un prolífico escritor, no de novelas sino de
ensayos, especialmente sobre psicología y religión.
Dedicó doce años a escribir *Principios de psicología*, un
libro que terminó en 1890 y que fue considerado du-

rante muchos años como base e inspiración para otras obras sobre el tema.

La voluntad de creer (1896) y *Las variedades de la experiencia religiosa* (1902) se centran en los motivos psicológicos que eligen las personas que aceptan las doctrinas religiosas. En el segundo, James divide las creencias religiosas en dos categorías: las de los creyentes de mente sana y las de los de alma enferma. Los primeros son optimistas que excluyen el mal de sus conciencias. *Son personas de pensamiento positivo.* (Esta idea me trae a la memoria la novela futurista de 1932 *Un mundo feliz*, de Aldous Huxley, en la que el personaje del Salvaje le dice al Interventor: «Librarse de todo lo desagradable en lugar de aprender a soportarlo... Se limitan a abolir las pedradas y las flechas. Es demasiado fácil».). En cambio, el alma enferma, decía James, no puede evitar ver el mal y el resultado es una vida infeliz. *Son personas de pensamiento negativo.*

La gente que se siente vacía e «incompleta» –en otras palabras, infeliz–, escribió James, normalmente busca maneras de progresar hacia un ideal positivo. Sus esfuerzos por mejorar, sin embargo se encuentran bloqueados por fuerzas internas. Entonces, prosigue James, es necesario que el individuo se rinda ante sí mismo para poder continuar con la transformación. Para solucionar este problema, las personas religiosas colmarían sus aspiraciones sometiéndose a Dios, o en el caso de los cristianos, a Jesucristo. La solución que propone Alcohólicos Anónimos, por ejemplo, se recoge en los pasos 2 y 3 de su ideario:

2. Llegamos al convencimiento de que un poder superior puede devolvernos el sano juicio.

3. Decidimos poner nuestras voluntades y nuestras vidas al cuidado de Dios, tal como cada uno lo conciba.

El secreto plantea ideas similares pero implica que el poder superior (nuestro ego en realidad) es nuestra mente o nuestro ser. Nos ofrece una solución que va más dirigida hacia nuestro interior: prohibir los pensamientos malos y sustituirlos por buenos.

James también estaba interesado en las realidades duales y la noética o «ciencia mental». Llevó a cabo experimentos con hidrato de cloro, un sedante, nitrito de amilo y óxido nitroso con el objetivo de experimentar «estados místicos». Al especular sobre si el subconsciente podía ser un portal para acceder a una región sobrenatural, James identificó esta esfera como el poder o la energía que es para muchas personas más fácilmente asimilable con la idea de Dios. De igual modo, la base ideológica del pensamiento metafísico, incluido el descrito en *El secreto*, es que nuestra conciencia, y en algunos casos nuestro pensamiento inconsciente, crea nuestra realidad.

Los tiempos están cambiando

Dejando a un lado nuestra predisposición general a buscar información que nos ayude a aumentar la autoestima, todas las personas a las que he entrevistado tienen el firme convencimiento de que la aceptación del mensaje de *El secreto* lleva ya un tiempo fraguándose en nuestra cultura. Una guerra impopular y los actuales problemas económicos han creado unas condiciones idóneas para que la gente esté dispuesta a buscar respuestas alternativas con que afrontar su malestar con el mundo. «Quieren una solución; no viven la vida que quieren ni tienen control sobre ella. Este descontento resulta extraño porque se supone que estadísticamente las cosas van bien», dice Kristine Pidkameny, de *One Spirit Book Club*. Pero lo cierto es que cuando aparece una salida fácil para nuestros problemas nos toca la fibra sensible.

Las ideas «tienden a trabajar en ciclos y equilibrios en el mundo, y eso incluye la cultura y la psique humana. La idea del pensamiento positivo surge cuando la situación es adversa. Parece que los medios de comunicación se recrean a la hora de informar sobre catástrofes y escándalos, así que el desarrollo de un pensamiento positivo básico podría servir como antídoto», explica John Suler, profesor de la Rider University.

«Nuestra cultura actual es el reflejo del mundo tan vulgar en que vivimos, y eso me interesa», sentencia el físico Fred Alan Wolf, que aparece tanto en *El secreto* como en *¿¡Y tú qué sabes!?*, donde hace referencia a la clásica canción folk *Little boxes*, que describe cómo todos vivimos en las mismas casas «vulgares», llevamos las mismas ropas y comemos la misma comida. (La letra de la canción está disponible en ingeb.org/songs/littlebo.html.)

«El éxito en Estados Unidos consiste en ser como todo el mundo pero, para algunos, no basta con eso y se preguntan cada vez más qué quiere decir realmente tener éxito y cuál es la medida justa. Como el trabajo no nos satisface y a muchos nos deprime, no paramos de preguntarnos: ¿Hay algo más? –dice Wolf–. Una escena maravillosa de *El precio del poder* lo ejemplifica muy bien: Al Pacino se relaja con un baño de espuma en su mansión, mira a su alrededor y se pregunta: "¿Es esto todo lo que hay?".»

Según Wolf, los estadounidenses también están volviéndose más perspicaces y menos dispuestos a aceptar lo que dictan las autoridades, a pesar de todos los avisos en contra. «Hace cincuenta años, cuando el presidente aparecía en público para declarar A, B y C, todos le creían. Pero ahora cuando un político dice algo, pensamos que quizá se trate en realidad de X, Y y Z.» La misma desconfianza y curiosidad que nos llevan a cuestionar a nuestros líderes también nos empujan a investigar qué significa estar vivo y a cuestionarnos las explicaciones científicas convencionales. «Siempre habrá neandertales, extremistas religiosos de derechas y de izquierdas y ateos vagando juntos por el planeta», dice Wolf; pero la mayoría de la gente se encuentra en un término medio y ya no se conforma con las respuestas de siempre. No existe pues una idea que cubra las necesidades de la mayoría. Es más, *El secreto* está en la lista de libros más vendidos junto a *El espejismo de Dios*, de Richard Dawkins, un libro que se esfuerza en demostrar que Dios nunca existió.

Sara Nelson de *Publishers Weekly* también cree que el tono religioso de *El secreto* atrae a un grupo de lectores que buscan continuamente un sentido y un mensaje. «Sigue los pasos de *The purpose driven life*», dice Nelson refiriéndose al libro de gran éxito del predicador baptista sureño, Rick Warren, que dirige la iglesia de Saddlebak, en el sur de California. Pero *El secreto* no está escrito por un predicador famoso que te dice cómo debes vivir la vida. «No es una autora evangélica; está hecha por gente corriente que nos revela cómo uno mismo puede "crear su propia fe" y hacerla suya», asegura Nelson, que también está convencida de que se trata de una muestra más dentro de la larga historia de libros que enseñan a ser mejores personas y tener más éxito. «Lo que está de moda ahora es el matiz de "hágalo usted mismo"», postula Nelson.

John Demartini, orador y *coach* inspirador, suele trabajar a menudo en hospitales con pacientes y profesionales médicos y es testigo de cómo la idea va calando también en el sistema sanitario. «Se da la oportunidad a la gente de responsabilizarse de su bienestar y salud, y se muestra receptiva ante la idea de que puede tener el control sobre su vida.»

La profesional del marketing metafísico Arielle Ford está de acuerdo. «Piénsalo. Es muy enriquecedor (en un mundo impredecible) creer que uno puede controlar su existencia, tener un propósito y dejarse llevar por él. Aunque para quienes comulgamos con el Nuevo Pensamiento esto no es nada nuevo, para muchos otros sí lo es y piensan: "¡Vaya! Mira qué hicieron todos estos famosos. Es increíble". Como es natural, después se preguntan: ¿Y por qué yo no puedo hacerlo también?»

¡Boom!

La generación del *baby boom*, y en especial las mujeres, son las más entusiastas del «hágalo usted mismo». Las cosas están cambiando para ellas y necesitan ayuda para descubrir cómo llenar de significado y placer los próximos treinta o cuarenta años. Kristine Pidkameny, de *One Spirit*, comenta que el núcleo de su público, que adoptó *El secreto*, está compuesto por «mujeres de esa generación que se sienten atraídas por nuestras ofertas cuando alcanzan la madurez; se trata de una etapa de contemplación, y muchos de nuestros libros tratan temas relacionados con esa edad que pueden ayudarles en esos momentos de transición».

John LaRosa, director de investigación de Marketdata, declaró a la prensa que falta la demanda para productos y programas que permiten a los estadounidenses, especialmente a mujeres acomodadas de la generación del *baby boom*, conseguir más dinero, perder peso, mejorar sus relaciones y pericia comercial, hacer frente al estrés o lograr una dosis rápida de motivación (todos ellos aspectos que forman parte del conocimiento y la práctica de las promesas de *El secreto*).

Como persona perteneciente a esa generación, comprendo el atractivo de un sistema que ayuda a crear segundas oportunidades y a reinventarse a uno mismo. Para muchas de las que nos encontramos en los cuarenta o cincuenta años de edad, la idea de trabajar en la misma oficina hasta la jubilación nos parece una condena. Aun así la mayoría de nosotras seguiremos en activo hasta pasados los sesenta y cinco, ya sea por voluntad propia o por necesidad. Según un detallado estudio hecho en la primavera de 2007 sobre las cambiantes costumbres de las mujeres de nuestra generación, *Baby boomer women: Secure futures or not?*, editado por Paul Hodge, director del programa para la política generacional de Harvard y miembro del comité de investigación en John F. Kennedy School of Government, las mujeres quieren ser productivas más allá de los sesenta años porque la perspectiva de unas «vacaciones» de treinta y cinco años no resulta demasiado atractiva. Además, necesitaremos el dinero pues los fondos de pensiones no cubren los gastos del resto de nuestras vidas. Todo lo que pueda ayudarnos a mejorar la segunda etapa de la vida personal o profesional tiene gran poder de seducción.

El estudio de Marketdata también registró una tendencia creciente de esta generación a utilizar la ayuda de gurús, en contraposición a, o juntamente con, formas más tradicionales como terapeutas o consultores de negocios. Este interés ha permitido que unas cuantas celebridades del mundo de la autoayuda, como Tony Robbins, Deepak Chopra y Suze Orman, utilicen sus nombres para construir imperios multimedia y multiplataforma, explica LaRosa. Una lista a la que ahora se añade Rhonda Byrne.

La generación Z

Parece que *El secreto* tiene otra audiencia menos evidente: la gente joven, un grupo heterogéneo que se siente atraído por el aspecto materialista del libro y la promesa del DVD. Arielle Ford se quedó sorprendida al ver a tantos hombres jóvenes con trajes de Wall Street en un evento gratuito organizado recientemente por el *life coach* James Ray, uno de los expertos de *El secreto*. «No es normal ver este tipo de gente en ocasiones como ésta, pero llenaban la sala, así que pregunté a una pareja por qué estaban allí.» Habían visto *El secreto* y querían saber más. «Sería estupendo si estuvieran dispuestos a seguir los siguientes pasos y aprender más o asistir a un taller, pero lo que realmente motivaba a la mayoría era la posibilidad de ganar dinero.»

Betsy Chasse, coproductora de *¿¡Y tú qué sabes!?*, comenta que las ventas *online* del libro de Wallace Wattles *La ciencia de hacerse rico* se dispararon de manera vertiginosa después de que *El secreto* se convirtiera en un éxito. «Nuestra tienda de *¿¡Y tú qué sabes!?* es el refugio de los que quieren lo más avanzado en espiritualidad y ciencia, y es precisamente lo que busca nuestro público. Por tanto, nos divirtió que ese fuera el aspecto que atrajo al público más mayoritario. El 70% de las personas que prueben este método fracasarán.» De todos formas, Chasse reconoce que puede que no sea tan malo que la población prospere porque así podría avanzar. «A todos nos preocupa la supervivencia y, para poder instruirte, tienes que solucionar primero las preocupaciones económicas. Puede que éste sea un buen detalle de *El secreto*. En último término, si la humanidad se instruye podrá ir más allá del mundo material.»

El interés de la gente joven tiene sentido desde otro punto de vista. La generación adulta más reciente adopta a menudo las ideas de las generaciones precedentes simplemente porque esas ideas le resultan nuevas. «Muchos veinteañeros se me han acercado mostrando interés por *El secreto* –explica John Gray, autor de *Los hombres son de Marte, las mujeres son de Venus*–. «Para ellos supone un nuevo despertar.» Pidkameny observa el mismo fenómeno en su club: «Los jóvenes, de unos veinte años, compran el libro porque quieren saber cómo llegar a donde quieren de una manera más rápida».

Hay también un lado oscuro en el interés de la gente joven por *El secreto*. La generación Yo, que va de los veinte hasta los treinta y nueve años, está más interesada en sí misma que las generaciones anteriores según Jean Twenge, profesora de psicología en la San Diego State University y autora de *Generation Me: Why today's young Americans are more confident, asserti-*

ve, entitled–and more miserable than ever before. Asegura que este grupo se ha criado con la idea de que la autoestima es más importante que la realización. Twenge llevó a cabo un estudio dirigido por un equipo de psicólogos de diferentes universidades, el más amplio realizado hasta hoy, para investigar los cambios generacionales en el tema del narcisismo.

«En lugar de preocuparse por temas cívicos, los jóvenes nacidos después de 1982 son la generación más narcisista de la historia reciente», sostiene Twenge. No le sorprende que muchos de ellos encontraran atractivo el concepto de buscarse uno mismo el camino hacia la fama. «Los hijos cuyos padres pertenecen a la generación del *baby boom* han aprendido de ellos que pueden llegar a ser lo que se propongan, han aprendido que todo es posible si se cree en uno mismo. La diferencia estriba en que la generación anterior reconocía que se necesitaba el esfuerzo para lograr el éxito y ahora este "detalle" se cuestiona», lo que les lleva a pensar que pueden hacer que ocurra cualquier cosa sin el menor esfuerzo. Este centrarse en uno mismo también es diferente de los modelos clásicos de individualismo (por ejemplo, el caso de Ayn Rand), que incluían grandes dosis de ambición, creatividad y esfuerzo.

Hay, no obstante, gente joven trabajadora que llega a la ley de la atracción porque les descubre posibilidades que no advertían que podrían formar parte de su experiencia. John Gray me contó el caso de su mecánico, de veintidós años y poco dado a la lectura. «Me dijo que había visto *El secreto* y que la película había cambiado su manera de pensar. Nunca había oído hablar de la información que aparecía en ella, pero le había hecho sentirse más dueño de sí mismo. Ahora tenía que conseguir también el libro.»

En este caso, Gray cree que el efecto es especialmente poderoso cuando se trata de gente que nunca ha oído hablar de la idea según la cual puedes controlar tu destino y tomar decisiones sin que te las impongan. «Para este chico fue maravilloso ver a estos guías y comprender que lo que decían podía tener aplicación en su propia vida.» Para los cínicos que piensan que un joven de clase trabajadora podría sentirse decepcionado por la promesa del libro (cualquier cosa que quieras no tienes más que pedirla), Gray replica diciendo que la perspectiva de los descreídos sobre el pensamiento positivo está mal enfocada.

«Cualquiera que haya creado algo, lo empezó con un pensamiento positivo. Eso supone un duro trabajo, evidentemente, pero el esfuerzo se inicia con una perspectiva optimista. Las personas que han tenido modelos a imitar o algún tipo de apoyo, adoptan esa actitud por descontado. Para los que no trabajan desde ese contexto, como mi amigo el mecánico, que quizá no hayais tenido nada de eso, el libro puede suponer encontrar una salida.»

John Demartini señala que el mensaje no se limita a lo material; la gente más bien se acerca a él por diferentes motivos: según lo que ellos consideren más elevado dentro de su escala de valores, eso es lo que perciben. «Si se trata de dinero, bienvenido sea. Para otras personas puede que se trate de la familia o las relaciones. Ahora mismo tal como marcha la economía y con un crecimiento negativo de los ahorros, existe un vacío en esa área. Yo, al ojear el libro, no veo nada de eso porque para mí las finanzas no son lo primero.»

El espíritu dentro de la máquina. La tecnología

El pensamiento metafísico estuvo en un tiempo limitado a un pequeño grupo de personas que buscaba afanosamente soluciones alternativas. Pero Internet lo ha cambiado todo. John Demartini, orador, inspirador y *coach* de vida, atribuye el creciente interés del público mayoritario por la ley de la atracción y sus vínculos metafísicos (misticismo, taoísmo) a la fácil disponibilidad de las ideas en Internet. «Tenemos acceso a una gran cantidad de información, algo impensable hace una década porque no existía la tecnología adecuada. Podemos producir información en un formato que resulta atractivo a la vista y atrapa la atención de la gente.» *El secreto*, dice, lo hace muy bien.

El secreto no sólo es fácilmente accesible a un precio económico por medio de las descargas de Internet, sino que también utiliza un lenguaje televisivo, que todo el mundo comprende. *¿!Y tú qué sabes!?*, una película realizada para su distribución en cines, usa perspectivas narrativas cambiantes y muchos otros recursos fílmicos que son más propios de películas experimentales (como las de Stan Brakhage y Luis Buñuel). *El secreto*, en cambio, se sirve del lenguaje de los publirreportajes, con bustos parlantes y bonitos gráficos para que sus ideas lleguen fácilmente a la mayoría.

El acceso a Internet y las derivaciones de grupos de debate y tableros de mensajes basados en la web de *El secreto* indican un cambio en la manera en que comunicamos las ideas espirituales y religiosas. «Todo esto llevará a nuevas formas de comunicación, expresión y comunidad espiritual –afirma el psicólogo John Suler–. No creo que Internet vaya a sustituir las antiguas formas de comunicación espiritual. Supondrá un complemento y una mayor resonancia. La distancia geográfica no supone ningún problema. La gente se puede comunicar en estructuras de tiempo real o diferido. Cualquiera puede tener voz propia y expresarse por medio de palabras, imágenes y música. Personas que antes no podían reunirse nunca, lo pueden hacer ahora.» Y *El secreto* va moviéndose sin parar.

«Lo que hubo antes de *El secreto* también propició el clima de curiosidad y aceptación de estas ideas por parte del gran público –comenta Kristine Pidkameny, refiriéndose a las películas *¿!Y tú qué sabes!?* y *Dentro de la madriguera*. Ambas atraparon la atención del público por medio del boca a oreja en Internet–. Ahora el interés (en la metafísica) no viene tanto de la izquierda, algo que suele suceder, sino que empieza a extenderse a la gente en general.»

Pidkameny señala una característica de *¿!Y tú qué sabes!?* que llegó al gran público en parte por medio de los *chats* y *bloggers* de Internet. «El libro que surgió de la película era *Mensajes del agua*, de Masaru Emoto.» Éste llevó a cabo una serie de experimentos con cristales de agua. Escribió palabras como amor, bondad, alegría y esperanza en trozos de papel y los añadió a recipientes de agua para que el líquido pudiera «verlos». Otros recipientes, en cambio, fueron expuestos a palabras y pensamientos negativos. Tras ser sometida a un proceso de congelación, el agua que había estado en contacto con vibraciones positivas formó hermosos cristales similares a los de los copos de nieve, mientras que el agua expuesta a vibraciones negativas formó figuras nada atractivas.

Emoto ha sufrido el ataque de mucha gente, científicos incluidos, que no consideran concluyente su experimento y le retan a llevar a cabo otros más rigurosos para poder probar sus teorías. Emoto, de momento, ha declinado su oferta. «La crítica, sin embargo, no parece haber afectado a las ventas del libro», dice Pidkameny.

Por poner un ejemplo de la rapidez con que se puede obtener información a través de los medios y el ciberespacio y luego transformarla en nuevas empresas e ideas, podemos ver el caso de un tal Dushan Zaric, propietario y camarero de un bar en el Greenwich Village de Nueva York llamado Employees Only. Según un artículo publicado en la sección «Sunday style» del *New York Times* del 4 de marzo de 2007, ideó un experimento con cócteles basado en los juegos de agua de Emoto. Cinco camareros hicieron el mismo daiquiri con los mismos ingredientes. Cada vez que un camarero feliz y seguro de sí mismo preparaba la bebida, los clientes y empleados coincidieron en que sabía mejor que cuando lo preparaba un camarero deprimido o angustiado. Los *bloggers* y participantes en *chats* de comida continúan discutiendo en la red este experimento. «Eso significa desvirtuar el mensaje completamente», advierte Henry Jenkins, profesor de medios de comunicación del Massachussets Institute of Technology.

Rhonda Byrne es metafísica

El verdadero secreto que se esconde tras *El secreto* bien podría ser la propia Rhonda Byrne. «El éxito es un perfecto ejemplo de cómo Rhonda manifiesta su visión –dice John Gray–. Lo extraño es que ella ha manifestado que su sueño era decirle a la gente cómo hacer realidad sus sueños.» Gray matiza esto al señalar que la solvencia profesional y creativa de Byrne sirvió de ayuda. «Es posible realizar tus sueños, pero necesitas preparación, talento y capacidad para empezar.» También influyó que Rhonda tuviera que hacer una reinvención forzosa de su vida. Byrne había entrado en lo que ella misma denominó una mala época y había tocado fondo. «Dolor, sufrimiento, exclusión; todos los grandes pensadores y creadores los experimentaron y luego, como Rhonda, superaron esa fase», explica Gray, quien afirma que el valor de lo negativo es un aspecto de la ley de la atracción que echa de menos en el libro. Jerry y Esther Hicks, maestros de la ley de la atracción, también han remarcado este razonamiento al decir en una carta a sus amigos que admiran la capacidad de Byrne de permanecer «fiel a sus esfuerzos de manifestación».

Lógicamente esto nos lleva a la siguiente pregunta. ¿Realmente funciona la ley de la atracción?

3

¿FUNCIONA?

Los aspectos creíbles de la ley de la atracción, y existen varios, se pueden encontrar en un grupo de teorías psicológicas interrelacionadas que incluyen el efecto placebo, la teoría de la atención y conciencia plena (*mindfulness*) o la terapia cognitiva y su pariente más reciente, la psicología positiva. Llamémosla la ciencia de la felicidad o estudios sobre el optimismo, pero tiene su importancia. Aquellas personas que se enfrentan con la realidad, ejercitan el libre albedrío al tomar decisiones de una manera consciente y al aceptar ser responsables de ellas tienen opinión y creen en sí mismas, desarrollan vidas más felices y plenas que quienes no actúan así o no pueden hacerlo. La vida está llena de oportunidades y riesgos y se puede afirmar con seguridad que aquellos de entre nosotros que están dispuestos a arriesgarse pueden tropezar en alguna ocasión, pero la mayoría de las veces logran cosas más importantes que aquellos que se quedan escondidos en un lugar seguro.

Los verdaderos seguidores de la ley de la atracción, sin embargo, no necesitan pruebas académicas. Cuando se tiene una confianza inquebrantable en un concepto o en una persona, la ciencia y el razonamiento empírico, incluso una experiencia real, son innecesarios. Para la gente que no tiene una educación religiosa, la fe puede ser un concepto difícil de asimilar o comprender, incluso en el caso de las «religiones seculares», de las que la ley de la atracción forma parte; estas pruebas no podrán cambiar la mente del creyente por muchas que se presenten en su contra. En realidad se puede empezar y terminar el debate sobre la efectividad de la ley de la atracción en este punto: «Es así porque yo creo que es así».

Una de las simplificaciones de *El secreto* que ha levantado más controversia es la excusa fácil y autoinculpadora que ofrece cuando la gente no llega a alcanzar sus deseos. Viene a decir: «¿Sabes? Si no lo crees de verdad, no ocurrirá nada». Así, siempre hay una salida cuando un creyente con una fe ciega se enfrenta con alguien que es crítico. No conseguiste el coche porque no pensaste realmente en serio que te lo merecías. El cáncer sigue ahí porque en lo más profundo de tu ser piensas que deberías estar enfermo. «No sé cuál será tu caso pero yo he estado segura de que algo no iba a suceder en mi vida y, ¡vaya por Dios!, ocurrió igualmente.»

Ellen Lange, investigadora de psicología en Harvard, dice que hay pruebas que respaldan la idea de que se puede conseguir un millón de dólares si uno lo cree de verdad. Pero hay una trampa y es que eso implica moverse, una acción, algo de lo que no se habla en *El secreto*. «Puedes procesar la información de diferente manera cuando empiezas a creer. Piensas en el dinero de un modo diferente, tomas iniciativas para enriquecerte y ya no te pasan de largo las oportunidades de hacer dinero», dice Ellen.

Esto me recuerda el caso de una mujer de éxito hecha a sí misma que conocí hace poco. Me contó que un día, cuando tenía unos diecisiete años, iba conduciendo el viejo coche de su humilde familia de vuelta a casa tras el trabajo que hacía después del colegio y, de repente, el coche se averió. Tuvo que llamar a su padre para que los recogiera (a ella y al coche) pues era imposible llamar al mecánico por una cuestión de dinero. En ese momento, recordaba ella, «comprendí todo lo que suponía que mi coche se hubiera averiado, pero también vi este hecho como una posibilidad de aclarar lo que yo buscaba en la vida. Entonces me dije: "Nunca seré pobre". Y no lo soy». Por descontado, ella eligió conscientemente un camino vital que incluía obtener un máster en administración de empresas y un trabajo como comercial de fondos de alto riesgo; una vía muy directa para hacer dinero.

La manifestación de éxito de Rhonda Byrne en el DVD incluía ciertas decisiones y acciones (destacadas en el capítulo 1) que tuvieron como resultado viajar a Estados Unidos y conocer a los expertos y oradores que participaron en su película, y utilizar un sistema de distribución diferente al plan original de emisión por televisión (el sistema de descargas por Internet). No importa la cantidad de veces que ella hubiera escrito y leído en voz alta: «Haré una película tremendamente exitosa sobre la ley de la atracción», ya que si se hubiera quedado en su casa de Sidney, seguro que no hubiera ocurrido nada de esto.

En resumen, «pedir, tener fe y recibir» podrían ser expresados con más precisión de esta manera: «pedir, tener fe, actuar (así amplías enormemente las posibilidades) y recibir».

El único inconveniente

Algunos creyentes también expresan su preocupación porque *El secreto* simplifica el concepto de la atracción hasta tal punto que lo convierte en inservible, particularmente para los principiantes que no tienen más información sobre el tema. «Los reparos son evidentes– dice Arielle Ford, que lleva más de veinticinco años inmersa en el mundo de la metafísica–. Habrá gente decepcionada porque Rhonda no dedica el tiempo suficiente a hablar de la necesidad de sentir y creer que aquello que quieres ya es tuyo. A menos que puedas hacerlo no puedes tenerlo. Para la mayoría no es fácil porque creen que no son dignos de merecerlo y están llenos de miedo y vergüenza. Puede ser que digan "quiero ser rico", pero tienen mentalidad de perdedores y en ningún lugar de *El secreto* aparece información sobre cómo cambiarla.»

«Me hubiera gustado ver otros temas en el DVD –dice John Demartini (*coach* de vida y colaborador de *El secreto*)–. Hay muchas cosas que hubiera explicado mejor. Al mismo tiempo agradezco que el DVD llegara a un público tan amplio.» En los talleres que organiza se enseña que hay una jerarquía de valores con los que la gente manifiesta las cosas que quiere en su vida. Uno muy popular que dura dos días se titula la «Experiencia Descubrimiento». «Si persigues algo que no es coherente con tu escala de valores siempre regresarás a lo que realmente es importante para ti.» Aunque el lenguaje de Demartini puede ser interpretado como perteneciente al movimiento Nueva Era, no deja de tener pragmatismo. «Si persigues algo que es improbable, no ocurrirá», dice.

Gail Jones, *coach* de vida en el área de Boston y autora del libro *To hell and back... Healing your way through transition*, trabaja principalmente con gente de la generación del *baby boom* que está atravesando en la madurez una época de cambios en sus carreras profesionales y en sus relaciones. Jones echa de menos en *El secreto* «el aspecto de la creencia». No el término «creencia» en el sentido de creer que tus pensamientos positivos se convertirán en realidad, sino que a menos que estés atento a tus creencias internas y tus valores, nunca podrás conseguir un cambio auténtico o convertir tus deseos en realidad. «*El secreto* es demasiado simple. Antes de pedir algo debes tener claro lo que piensas realmente de ti mismo. Tienes que aclarar qué creencias no te dejan avanzar (no soy lo bastante bueno y pensamientos similares).» Jones dice que es prácticamente imposible que alguien haga esto por sí mismo y que se necesita la ayuda de un *coach* o un terapeuta.

Ben Johnson, licenciado en Medicina, Naturopatía y Osteopatía, participó en *El secreto* y le preocupa que los espectadores del DVD se quedan a menudo con la idea de «ser todas las cosas y terminar todas las cosas», de que «todo lo que tenemos que hacer es pensar, pedir, tener fe y cualquier cosa que deseemos nos llegará como caída del cielo. No importa cuánto pensamiento positivo o cálida protección le pongamos, pues uno no se puede olvidar de la regla de tres: lleva tres veces más tiempo, cuesta tres veces más y requiere tres veces más energía llegar hasta donde quieres ir. Además necesitas encontrar un incentivo para que tu trabajo sea productivo».

Betsy Chasse dice que *El secreto* es fácil de atacar porque no tiene suficiente contenido, pero añade: «No sabemos ni la mitad de las cosas que el cerebro es capaz de hacer». Muy cierto. Los científicos y psicólogos llevan mucho tiempo estudiando cómo se entrecruzan nuestros pensamientos y estados de ánimo, y hay un número significativo de estudios que muestran cómo un enfoque optimista de la vida tiene efectos psicológicos, fisiológicos y biológicos cuantificables sobre nuestra salud y bienestar.

La respuesta de la confianza: el efecto placebo y la teoría de la atención plena

La palabra placebo procede del latín y se podría traducir como «complaceré». Hace referencia a un tratamiento benigno que incluye una píldora inocua, cirugía simulada o una sugestión determinante sobre la salud del receptor que puede suponer una mejoría en su enfermedad o sus síntomas y, en algunos casos y dependiendo de lo que uno crea a la hora de ingerir el placebo, un empeoramiento. La confianza en el placebo es la que le confiere el poder curativo.

Retrocedamos hasta la sabiduría de los hombres de épocas pretéritas. Nuestro amigo William James, el psicólogo del siglo XIX, decía: «Mientras que una parte de lo que percibimos nos llega a través de nuestros sentidos desde el objeto que se encuentra ante nosotros, otra, quizá la más sustancial, siempre procede... de nuestra propia mente». Y Marco Aurelio decía: «Si estás angustiado por algo externo, el dolor no se debe a eso en sí, sino a la apreciación que haces de ello; y tú puedes cambiarla en cualquier momento».

Howard Brody, director del Instituto de Humanidades Médicas en la rama de medicina de la Universidad de Texas y autor del libro *The placebo response: How you can release the body's inner pharmacy for better health*, explica: «Estudios recientes siguen mostrando que la respuesta al placebo es real y estamos cada vez más cerca de saber qué hay en el fondo. En los últimos cinco años se ha visto que la neuroimagen ofrece unos resultados muy prometedores en el estudio del efecto placebo, aunque aún está en sus inicios». La neuroimagen es el estudio de la estructura, función y farmacología cerebral; permite a los científicos ver cómo se procesa la información en el cerebro y, a su vez, de qué manera responde, lo que incluye la capacidad de dirigir la curación de las dolencias. Esto tie-

ne amplias implicaciones en el diagnóstico y tratamiento de la enfermedad de Alzheimer, trastornos
del metabolismo y, en general, en la investigación cerebral y cognitiva.

Brody describe un estudio de 2001 con enfermos
de Parkinson; a algunos se les administró un medica-
mento que incrementaba la dopamina en el cerebro y
otros recibieron un placebo. Los pacientes que toma-
ron el placebo experimentaron un aumento estadísticamente significativo de la dopamina cerebral. «Ocurrió lo mismo que si se les hubiera administrado
la droga», concluye. En los estudios sobre el dolor, la
producción natural de opiáceos se produce cuando se
administran placebos. En otros sobre la depresión
se puede ver un incremento de la actividad en la zona
del cerebro que controla los estados de ánimo, tal
como sucede en personas que toman antidepresivos.

Hay dos teorías sobre por qué los placebos son tan
efectivos como los medicamentos en algunas personas: la expectativa y el condicionamiento. «La expectativa indica que el paciente se anticipa a la mejoría y
la logra –explica Brody–. «Pero ¿cómo sabe el cerebro
qué es lo que funciona para provocar la mejoría? La
teoría del condicionamiento dice que el cerebro recuerda cómo el cuerpo se recuperó en el pasado y
cuando se administra un placebo, éste activa el recuerdo y facilita el camino hacia la curación.» De to-

das formas el efecto placebo sólo se da en un porcentaje de personas.

Hay muchas estimaciones que consideran que una tercera parte de los pacientes tratados con placebo manifiesta efectos similares a los de las personas que han recibido terapia o fármacos, pero nunca ha habido un experimento que haya funcionado en el cien por cien de los receptores. «Algunos experimentan el efecto placebo; otros no, así que resulta relativamente impredecible», según Brody. La imposibilidad de predecir la respuesta del placebo llevó a dos científicos holandeses a publicar un estudio que desacreditaba esta teoría y la calificaba como cuento de hadas. El artículo apareció en el número de mayo de 2001 del *New England Journal of Medicine*. Los doctores Asbjorn Hrobjartsson y Peter C. Gotzsche, de la Universidad de Copenhague y del Nordic Cochran Center, una organización internacional de investigadores médicos que evalúa pruebas clínicas aleatorias, se fijaron en 114 estudios publicados sobre placebos y medicamentos que involucraban a unos 7 500 pacientes en cuarenta situaciones distintas. Los doctores no encontraron ninguna prueba que demostrara que un tercio de los pacientes mejora cuando se les administra una falsa píldora, que ellos asumen como auténtica, y tampoco ninguna razón para pensar que hay una conexión entre el cuerpo y la mente. Sin embargo, Brody replica que éste es un punto de vista minoritario y que hay nuevos estudios sobre el efecto placebo que siguen mostrando resultados sorprendentes.

Ellen Langer, profesora de Psicología en Harvard y autora del libro *Mindfulness: La conciencia plena*, lleva tiempo investigando el efecto placebo o lo que ella denomina la teoría de la conciencia plena. «En estos momentos el tratamiento con placebo es estúpido –dice–. Se necesita que alguien te mienta de un modo convincente.» Lo que intenta es encontrar un modo de evitar las píldoras placebo o la terapia propiamente dicha (y la mentira que conlleva) y conseguir que el mecanismo sanador que se libera pueda funcionar en un mayor número de personas cuando se necesite.

«El principal problema que encuentran los psicólogos es cómo ir de la mente inmaterial hasta el cuerpo material (cuando se desee) –dice Langer–. El concepto de que es posible hacer que algo ocurra sólo con pensar en ello parece disparatado a primera vista. Ahora mismo no existe ninguna razón para creer en ello, pero eso no significa lo mismo que "debe de ser falso". Tenemos ejemplos de cómo los pensamientos ocasionan cambios biológicos. Cuando vemos un ratón sabemos que no nos va a hacer daño, pero el pulso se acelera y aumenta la presión sanguínea. Si comes algo y después alguien te cuenta que el cocinero había orinado en el plato podrías llegar a vomitar.» Entonces ¿cómo encontrar la conexión química o neurológica entre el pensamiento (creo que el cocinero orinó en mi sopa –no lo hizo–) y el resultado (llevo días enfermo)?

Uno de los estudios recientes de Langer se dirige justamente al meollo de la cuestión y a una de las afirmaciones más debatidas y fuertemente contestadas de *El secreto*. En el libro, no así en el DVD, Byrne explica que engordó mucho tras el nacimiento de sus dos hijas. Ella lo atribuyó a que había leído algo sobre el tema y posteriormente había creído que era normal que las mujeres engordaran algún kilo en ese momento de sus vidas. Así, según Byrne, la gente gana peso no por comer demasiado, sino por pensar que la comida engorda. Mientras no creas que un alimento te va a engordar, dice, puedes comerlo tranquilamente.

También recomienda creer que ya estás en tu peso ideal y evitar mirar a nadie con sobrepeso (habría que preguntarse hacia dónde mira ella cuando aparece en programas cara al público). Todo esto me recuerda antiguas supersticiones sobre las enfermedades: no te relaciones con personas que tienen cáncer porque te lo podrían contagiar. ¿Es esto lo que Byrne quiere decir? Bueno, en el libro dice que no deberías hablar con nadie sobre su enfermedad porque es como si estuvieras pidiendo tenerla.

No obstante, Langer encontró pruebas para sugerir que pensar en la delgadez puede tener como resultado una pérdida de peso. Llevó a cabo un estudio junto con una de sus alumnas sobre 84 mujeres de la limpieza que trabajaban en siete hoteles de Boston y consiguió unos resultados sorprendentes (publicados en el número de febrero de 2007 de *Psychological Science*). Todas tenían edades comprendidas entre los dieciocho y los cincuenta y cinco años. A las limpiadoras de cuatro de los hoteles se les dijo que limpiar quince habitaciones al día era un buen ejercicio y contribuía a llevar una vida sana y activa. A las mujeres de los tres hoteles restantes no se les dijo nada al respecto.

Todas rellenaron unos cuestionarios que mostraban que la cantidad de actividad realizada no había variado durante el período de estudio de cuatro semanas. Las mujeres que pertenecían al grupo de «estilo de vida saludable» perdieron de media casi un kilo (900 gramos) de peso y un 0,5% de grasa corporal; redujeron su índice de masa corporal en un 0,35 sobre 1, y su presión sanguínea sistólica (la primera cifra) descendió un 10% de media. En cambio, las que no recibieron información alguna no mostraron cambios estadísticos significativos. Aunque una pérdida de peso de 900 gramos en un mes no es espectacular, está dentro de la fránja de 225 a 1 300 gramos por semana que los médicos recomiendan para perder peso de forma saludable y que, además, es más fácil de mantener a largo plazo.

Piensa en cuánto tiempo tenemos la mente ausente y sin prestar atención a nada, aconseja Langer. La ciencia trata de probabilidades y éstas se convierten en hechos absolutos en nuestra cultura. «Cuando crees que sabes algo con total certeza, por ejemplo que las tareas de limpieza no equivalen a realizar un ejercicio físico, dejas de prestarle atención –dice ella–. Por culpa de nuestra falta de atención caemos frecuentemente en el error y no dudamos nunca.» También podemos dejar pasar oportunidades que nos podrían conducir a donde queremos o nos permitirían vivir experiencias beneficiosas.

«Según mi punto de vista, las nociones absolutas paralizan la mente. Carecer de ellas te mantiene alerta y te capacita para ver cosas que si no, no verías –explica Langer–. Al oír una afirmación que no crees que pueda ser cierta, la cuestión pasa a ser: fijémonos detenidamente y asegurémonos de que es así. Decir que no podemos estar seguros de que algo no sea cierto es muy distinto a decir que algo es absolutamente verdadero o falso. Es más, apreciar de manera activa algo nuevo, sin añadirle ninguna noción preconcebida, te hace ser consciente de lo poco que sabes y ese proceso te hace estar más despierto.»

El trabajo de Langer tiene por objeto fijarse en las verdades o creencias «absolutas» para ver si se pueden modificar para encontrar verdades alternativas. Me cuenta el caso del caballo y el perrito caliente. Un hombre quiere darle un perrito caliente a su caballo. Uno podría pensar: bueno, el caballo no se lo va a comer porque los caballos no comen carne, pero el hombre se lo ofrece y el animal se lo come. Entonces tienes que pensar que hay factores y circunstancias que hacen que los caballos puedan comer carne después de todo. Lo que se sugiere es una posibilidad; no significa que todos los caballos vayan a comer carne en cualquier momento. Si tu actitud mental está obcecada con la idea de que los caballos no comen carne y los perritos calientes fueran el único alimento disponible, tu caballo podría morir de hambre porque ni siquiera harás la prueba de ofrecérselos.

Los pensamientos que dan como resultado ciertas proyecciones externas también pueden alterar nuestras circunstancias, y si no pueden cambiar el mundo exterior, al menos podrán cambiar el tuyo. Muchos de nosotros nos hemos encontrado en la posición de receptores en casos parecidos al que describe Howard Brody al rechazar a una aspirante a un puesto de trabajo. «No la contratamos como miembro de la plantilla en parte porque no transmitía confianza. Así que aunque no podemos cambiar el mundo con una varita mágica o separar las aguas del mar Rojo, los poderes psicológicos pueden marcar una diferencia causal en el modo en que funciona el mundo.» En este caso, los pensamientos de la mujer sobre la valía de sus titulaciones se manifestaron en muestras de comportamiento que tuvieron como resultado el rechazo de la candidata.

Es posible incluso que la mujer estuviera cualificada pero no se encontrase demasiado bien ese día. «Normalmente se solía pensar que uno puede dejarse llevar por las emociones o puede razonar, y que son dos cosas bien distintas. Este concepto sirvió como excusa para hacer discriminaciones por razón de género: "Las mujeres son más emotivas que los hombres" y frases por el estilo. Pero resulta que los dos centros del cerebro que controlan la emoción y la lógica están íntimamente conectados y no se puede activar uno sin establecer una interconexión con el otro», dice Brody.

Los poderes curativos

Otro aspecto de *El secreto* que ha sido recibido con indignación y escepticismo es la convicción de que el pensamiento positivo puede curar la enfermedad, incluido el cáncer; esta creencia puede haberse producido porque los adeptos han malinterpretado los detalles de las teorías sobre los placebos y el pensamiento positivo. El libro incluye la historia de Cathy Goodman, quien asegura haberse curado del cáncer que padecía con sólo creer que no lo tenía y ver películas cómicas. Todos los colaboradores de *El secreto* con los que hablé manifestaron que nunca habían sugerido que la gente abandonase las terapias tradicionales. Pero la simplificación del libro deja a los crédulos y desesperados enfermos expuestos a estafas y comportamientos peligrosos. Oprah tuvo que dejar clara su postura en antena el 30 de marzo de 2007, después de que una mujer le hubiera escrito diciendo que le habían diagnosticado un cáncer de mama al poco tiempo de ver su primer programa sobre *El secreto*. Tres doctores le dijeron que tenía que someterse a una mastectomía de forma inmediata, pero en cambio decidió autoconvencerse de que se encontraba perfectamente. Oprah intentó que la telespectadora entrara en razón, diciéndole que *El secreto* no aboga por la eliminación de las formas tradicionales de tratamiento médico. Es cierto que no lo hace, pero Byrne sí que escribe que uno estará bien si cree que lo está.

«Yo no recomiendo que la gente deje de tomar sus medicamentos contra el cáncer –dice John Demartini–, «aunque es cierto que se producen remisiones espontáneas (son una rareza estadística) y creo firmemente que las emociones tienen algo que ver.» El doctor Ben Johnson, junto con el doctor Alex Lloyd, promueve y comercializa un producto llamado «los códigos de la sanación» y asegura que eliminan los pensamientos perjudiciales inconscientes que están «literalmente» escondidos en las células. Explica que experimentó los códigos consigo mismo para curarse la enfermedad de Lou Gehrig. «Tienes que disparar toda tu munición contra la enfermedad», dice. Este sistema, que cuesta 797 dólares, utiliza la fotografía corelliana y la energía de la punta de los dedos para activar los cuatro centros de sanación del cuerpo en secuencias específicas. Según Johnson, una vez se han eliminado las mentiras de los recuerdos deposi-tados en las células, puedes recuperar la salud. El concepto de que todas las enfermedades son produc-to de los malos recuerdos de las células parece cuanto menos una utilización extremadamente mística del término «recuerdo».

Norman Doidge es autor de *The brain that changes itself: Stories of personal triumph from the frontiers of brain science* (2007), miembro de la plantilla de inves-tigación en el Centro de Preparación e Investigación Psicoanalítica de la Universidad de Columbia y miembro del Departamento de Psiquiatría de la Uni-versidad de Toronto. «Creo firmemente que existe un vínculo entre la mente y el cuerpo, pero este tipo de afirmaciones lo llevan demasiado lejos, lo convierten en algo tan poco específico que pierde casi todo el sentido –dice Doidge–. «¿Qué significa afirmar que una célula tiene un mal recuerdo? Es una metáfora derivada de nuestra experiencia consciente o memoria que atribuye este estado complejo a una célula o a las células. Ya que, por descontado, todos tenemos malos recuerdos de algún tipo, entonces todos somos candidatos a tener malos recuerdos celulares y, por tanto, a estar enfermos. Con todo, un enfoque tan indeterminado no explica por qué unas personas padecen una enfermedad concreta y no otra. Sólo atrae nuestra atención basándose en la afirmación de que puede curar. Pero la única manera de saber si este método cura de verdad sería llevando a cabo un estudio detallado.» No existen estudios empíricos controlados de los códigos de la sanación, aunque Johnson asegura que tiene muchos testimonios que certifican su éxito.

Doidge también señala que los brotes de enfermedades infecciosas no sólo afectan a quienes tienen «malos recuerdos celulares»; todo el mundo sucumbe ante una epidemia. El problema de echar la culpa de nuestras enfermedades a los malos recuerdos es que uno «entra en un universo que no se diferencia de la manera primitiva y medieval de responder a la enfermedad, en la cual, ante la incapacidad de comprender el mundo de lo microscópico, se echa la culpa a los enfermos por ser malos, pecadores o estar poseídos por alguna fuerza maligna».

Dejando aparte los tratamientos alternativos más extremos, numerosos estudios rigurosos han demostrado que una actitud optimista mejora las posibilidades de curación de una persona enferma de manera más rápida que una pesimista. En realidad, son tantos los estudios al respecto que sólo mencionarlos ya llenaría un libro como éste (he reseñado varios estudios importantes en la sección «lecturas adicionales» al final del libro). Un proyecto de investigación realizado en Harvard que se cita con frecuencia descubrió que el grado de optimismo de los universitarios anticipa el estado de salud que tendrán treinta y cinco años más tarde. Durante la segunda guerra mundial se analizó a un grupo de estudiantes de las ocho universidades más prestigiosas de Nueva Inglaterra y se les siguió la pista al cabo de los años. Los investigadores descubrieron que los estudiantes optimistas tenían mejor salud en su madurez que los que habían sido pesimistas en su etapa universitaria.

Cathy Goodman dijo que miraba comedias como parte de su tratamiento (la risa es la mejor medicina). Podría ser cierto, según David L. Felten, director de Investigación Médica en Beaumont Research Institute y en los hospitales William Beaumont en Royal

Oak (Michigan), coeditor de *Psychoneuroinmunology* y cofundador y director de la revista *Brain, behavior and inmunity*. Hay estudios que demuestran que ver media hora de vídeos de humor estimula las células del sistema inmunológico del organismo y las defensas antitumorales. «Lo hemos observado en trabajos clínicos y estudios controlados; en uno de ellos, los infartos recurrentes en pacientes con dolencias cardíacas disminuyeron en un 80 % cuando se incluyó en su tratamiento diario un vídeo de humor de media hora, en comparación con los que no tuvieron ese tratamiento adicional.»

En otro estudio, publicado en 2005, investigadores del Instituto finlandés de Salud Laboral, Investigación Nacional y el Centro para el Desarrollo del Bienestar y la Salud de las Universidades de Helsinki y Turku y en el University College de Londres, examinaron los trastornos de salud de 5007 personas que habían sufrido la muerte o enfermedad grave de un familiar. Al evaluar sus niveles particulares de pesimismo y de optimismo tres años antes y tres años después del acontecimiento comprobaron que quienes más valoraron el optimismo en los cuestionarios no necesitaron más días de baja laboral que en anteriores ocasiones a diferencia de quienes habían obtenido bajas puntuaciones en ese mismo aspecto.

Los autores concluyeron que el optimismo reduce

el riesgo de sufrir problemas de salud y puede ayudar a recuperarse antes tras vivir experiencias que alteran profundamente sus vidas. En cuanto a los pesimistas, los investigadores destacaron que «se distancian con frecuencia de los acontecimientos emocionales y esta estrategia para hacer frente a los problemas puede ser menos efectiva que utilizar un modo activo de encararse con los problemas inmediatamente después de un hecho grave e incontrolable como la muerte de un familiar».

Oakley Ray, psicólogo de Vanderbilt University, dice que el estrés afecta al cerebro y puede dañar el cuerpo a nivel celular y molecular al reducir la salud de la persona y su calidad de vida. Es más, Ray ha descubierto que mantener un estado de ánimo positivo puede ayudar a superar algunos de los efectos nocivos del estrés, luchar mejor contra la enfermedad y, en último término, retrasar la muerte. «Conocer cómo influye el cerebro en la salud y en la predisposición a la enfermedad puede suponer importantes cambios en el sistema sanitario. Comprender cómo interactúan la mente y los sistemas endocrino, nervioso e inmunitario o la psicoendoneuroinmunología (PENI, en inglés) es crucial para ayudar a las personas a evitar el estrés en sus vidas y a mantenerse sanas», dijo Ray. Por ejemplo, asegura que hay agentes patógenos que pueden coexistir en equilibrio con nuestros cuerpos, como en el caso de la tuberculosis, con sólo un pequeño porcentaje de personas que desarrollará los síntomas y manifestará la enfermedad. Las que no enferman seguro que es porque su sistema PENI funciona bien.

Los estudios sobre los índices de mortandad en enfermos que padecen enfermedades mortales, como el cáncer de pulmón, no muestran cambios radicales en la salud, independientemente de la actitud del paciente. Un estudio hecho en Australia en 2004 y publicado en la revista *Cancer* descubrió que tener una actitud optimista no ayuda a los pacientes de cáncer de pulmón a vivir más tiempo. De hecho, los investigadores encontraron que fomentar una actitud optimista podría ser perjudicial, porque el esfuerzo que supone para ellos estar o actuar de una manera alegre representa, a menudo, una carga adicional.

El estudio también encontró que el optimismo de estos pacientes disminuía con el tiempo, incluso si respondían bien al tratamiento, quizá a causa de los tratamientos tóxicos que recibían y por la grave naturaleza de su enfermedad. Los investigadores advirtieron que estos resultados no eran particularmente sorprendentes para los oncólogos a quienes entrevistaron. Todos ellos dijeron que ven cómo pacientes que tienen cáncer de pulmón en un estadio avanzado comienzan el tratamiento con una gran dosis de esperanza para luego decaer tan rápidamente como los que son pesimistas sobre sus posibilidades de recuperación. Parece particularmente cruel culpabilizar a los pacientes por su progreso o falta de él porque se les haga difícil asumir una actitud optimista enfrentados como están a su tratamiento y grave situación.

El optimismo también es inútil cuando va acompañado de la negación. Estos dos aspectos no se deberían nunca confundir. La negación puede llevar a que la gente deje de tomar las medidas médicas necesarias para luchar contra la enfermedad o, incluso, que no se preocupe de cuidarse, mientras que un optimismo realista ayuda a los pacientes a tomar el control de su propia atención médica. Éste es otro motivo por el que los índices de supervivencia de los optimistas realistas son mejores que los de los negacionistas y los realistas deprimidos, que son menos dados a preocuparse por si vivirán o morirán, y actúan en consecuencia.

Otro avance significativo y esperanzador en la conexión de la mente con el cuerpo con respecto a la sanación se da en el área de las imágenes guiadas o GI. *El secreto* lo llamaría «visualización» (visualiza lo que quieres que ocurra y sucederá). Las imágenes guiadas son una técnica de relajación profunda ampliamente aceptada por los profesionales tradicionales de la salud. La idea de que las imágenes mentales pueden sanar suena bien desde fuera, pero hay pruebas sólidas que sugieren que hay una conexión entre lo que imaginamos y el modo en que nos curamos. Muchos estudios fiables y controlados han demostrado que el método de las imágenes mentales resulta efectivo para reducir el tiempo de recuperación después de una operación, lo que hace que los tratamientos contra el cáncer sean más fáciles de soportar, así como para reducir la ansiedad, aliviar la artritis y disminuir la presión sanguínea.

Investigadores del Centro Médico de la Universidad de Columbia descubrieron por ejemplo que los pacientes sometidos a cirugía cardíaca que recibieron un tratamiento con imágenes guiadas experimentaron una mejoría significativa, tanto física como psicológica, comparados con los que renunciaron a la técnica alternativa y sólo utilizaron el tratamiento convencional. La compañía Blue Shield de California hizo un estudio con más de novecientas pacientes sometidas a una histerectomía y descubrió que las que habían escuchado una grabación sobre imágenes guiadas antes de la intervención se ahorraron unos 2 000 dólares en los costes del tratamiento, debido fundamentalmente a que no necesitaron tantos analgésicos. La aseguradora ofrece ahora cintas de imágenes guiadas a todos los pacientes de cirugía como preparación previa a la intervención.

En la técnica de las imágenes guiadas, un terapeuta ayuda a los pacientes a identificar ciertas imágenes relajantes que luego ellos pueden usar para entrar en un estado de relajación muy profunda (a veces llamado estado alfa). Los psicólogos dicen que las imágenes guiadas funcionan en muchas personas porque, en términos de respuesta cerebral, hay muy poca diferencia entre pensar en algo y experimentarlo. El córtex visual está directamente entrelazado con el sistema nervioso automático que controla el pulso y la respiración, entre otras actividades involuntarias. Así, por ejemplo, uno saliva cuando come un limón; lo mismo ocurre cuando piensas que estás comiendo un limón. Vivir la experiencia del 11-S en Manhattan me provocó mucho desasosiego y recordar aquel día me produce el mismo efecto. Mi corazón se acelera, se me saltan las lágrimas y me siento profundamente triste. Pensar en una experiencia divertida con unos amigos me hace reír con la misma intensidad que el día que estuvimos juntos.

La técnica de las imágenes guiadas no es algo que se pueda conseguir en un momento. La mayoría de los que la ejercitan dicen que se necesita práctica y algo de entrenamiento (aunque sí que sirve de ayuda escuchar grabaciones sobre el tema). La mayoría de los terapeutas que las utilizan dicen que lo ideal es hacer de seis a ocho sesiones con un profesional preparado y combinarlas con el uso continuado de cintas de audio (que en general resultan bastante económicas; muchas cuestan menos de veinte dólares).

Una gran parte de la investigación experimental apoya la efectividad de las técnicas de la terapia cognitiva a la hora de aliviar la depresión, conseguir perder peso, resolver problemas y convertirse en una persona más práctica en general. La terapia cognitiva busca reemplazar los pensamientos disfuncionales, irracionales, negativos, falsos o dañinos por pensamientos más racionales, realistas y positivos. Esta técnica ha demostrado que existe una conexión entre el hecho de cambiar nuestros pensamientos de manera consciente y ser capaz de modificar nuestro comportamiento. Sin embargo, Robert L. Leahy, presidente de la Asociación Internacional para la Psicoterapia Cognitiva y profesor de Psiquiatría clínica en Weill Cornell Medical Center, cree que fantasías como las de *El secreto* tienen poco beneficio terapéutico. «Yo considero que la terapia cognitiva es el poder del pensamiento realista. No basta únicamente con desear algo para que esto suceda», escribió en un correo electrónico en abril de 2007.

Acentuar lo positivo

Martin Seligman, presidente del Centro de Psicología Positiva en la Universidad de Pensilvania, es muy conocido en los círculos de psicología por su investigación experimental sobre la incapacidad y el optimismo aprendidos. Define la psicología positiva como el «estudio científico de las fuerzas y virtudes que permiten prosperar a individuos y comunidades». Esta nueva disciplina se centra en las emociones positivas, rasgos individuales e instituciones, y se está popularizando. Los cursos, a menudo conocidos como «Happiness 101», se imparten ahora en más de doscientos campus universitarios por todo Estados Unidos.

Seligman tiene el cuidado de hacer una distinción entre la psicología positiva y el pensamiento positivo y compara la búsqueda de pensamientos positivos con las teorías hedonistas sobre la felicidad que hablan sobre impulsos emocionales a corto plazo que no tienen un resultado y significación a largo plazo. La psicología positiva se fija en cómo los individuos pueden utilizar sus fuerzas y talentos para seguir unas tareas estimulantes que conduzcan a la experiencia de fluir (tal como lo describe Mihaly Csikszentmihalyi en su *bestseller* de 1990 *Flow: The psychology of optimal experience*), que a su vez lleva a una vida plenamente comprometida y llena de sentido, es decir, a la verdadera felicidad. La psicología positiva no consiste en pensar que todo va a ser siempre maravilloso y se irá viento en popa. Por ejemplo, dice Seligman, no te gustaría que un controlador aéreo se sintiera excesivamente optimista sobre la posibilidad de que tu avión despegue en medio de una tormenta. Del mismo modo, a una mujer que salga sola le vendrá mejor sentirse pesimista sobre las probabilidades de pasar una noche agradable al pensar en la perspectiva de acabar borracha como una cuba en un bar de una zona peligrosa de la ciudad.

La psicología positiva le debe mucho a la autorrealización, una teoría psicológica desarrollada por Abraham Maslow en 1943. Maslow aseguraba que en cuanto el hombre tiene satisfechas sus necesidades básicas de alimento, abrigo y seguridad, busca la satisfacción de una pirámide de necesidades más elevadas. En el vértice se encuentran las que tienen como meta la autorrealización: moralidad, creatividad y resolución de los problemas, entre otras. De igual manera, el psicólogo Carl Rogers, quizá más conocido por acuñar la expresión «la mirada incondicional positiva», consideraba a la gente básicamente buena (mientras que para Freud era fundamentalmente neurótica). Para aquél, un individuo plenamente operativo está abierto a la experiencia, vive el presente, agradece la libertad, se responsabiliza de sus decisio-

nes y explora la creatividad (no necesariamente la creatividad artística; bastaría con algo tan sencillo como
hacerlo lo mejor posible al enfrentarse a una tarea).

Estas tres teorías suponen que una persona sana
tiene la capacidad de vivir la vida con plenitud y de
conseguir dar lo mejor de sí misma. Las personas plenamente realizadas pueden tener con toda seguridad
experiencias negativas, por llamarlas así, pero su manera de enfocar la vida las hace menos propensas a
recrearse en la mala suerte o en el fracaso. Por tanto,
es perfectamente razonable decir que la gente que
está de acuerdo con la ley de la atracción y cree que
sus pensamientos positivos atraen cosas positivas
está mejor situada para realizarse que la que no cree
en ella o la pesimista.

Enfatizar lo negativo

La idea de que incluso un solo pensamiento «negativo» tiene como resultado la atracción de desengaños,
pérdidas, enfermedades, desastres o tragedias preocupa de manera comprensible a mucha gente. Según
Byrne, la ley de la atracción dice que para ser víctima
de algún hecho horrendo como, por ejemplo un holocausto, un tsunami, una matanza o incluso la pérdida
de un trabajo, tienes que estar en la misma frecuencia

que ese acontecimiento, incluso si no estabas pensando concretamente en él. No estoy segura de lo que esto significa exactamente, pero parece querer decir que, de hecho, todo lo que te ha ocurrido lo has atraído tú.

Decir que los desastres suceden como resultado de los pensamientos negativos de una población es caer en el terreno del fundamentalismo religioso: Nueva Orleans fue castigado duramente por culpa de su población pecadora; el tsunami de Indonesia es consecuencia del salvajismo de su población; el 11-S ocurrió porque Occidente es demasiado liberal y eso no gusta a Dios. Cosas así han salido de la boca de líderes religiosos extremistas y vehementes de toda condición. Ésta es una lógica profundamente errónea, una pendiente por la que nadie debería dejarse caer, pero varias personas con las que hablé admitieron en privado que creían que hay algo de cierto en la idea de que los judíos atrajeron el Holocausto y de que los negros son responsables del racismo que sufren.

En cuanto al porqué de la guerra, los conflictos y la inhumanidad del hombre para con sus semejantes, parece haber un consenso entre muchos de los adeptos con los que hablé y que John Demartini expresa con más claridad: «Hay siete áreas que están presentes en cada sociedad y en cada persona: el intelecto, la cultura, la vocación, la economía, lo social, lo espiri-

115

tual y la salud. En el momento en que una persona o una sociedad estén anuladas en cinco de esas áreas, serán vencidas. Puedo garantizar que si uno se fija en cualquier sociedad que haya sido sometida, verá que hay una falta de fuerza intelectual, vocacional, financiera y física. Tomemos por ejemplo, el caso de Afganistán; los talibanes pudieron hacerse con el poder porque había un vacío de poder intelectual, financiero y social en la población. Además, estaban aislados físicamente».

Dejando aparte los problemas mundiales, la negatividad personal sí que parece tener un valor auténtico. El escritor y colaborador de El secreto, John Gray, dice que la vida tiene sus buenos y sus malos momentos y no se gana mucho pretendiendo ignorarlo. «Aprender a reconocer los pensamientos negativos y seguir adelante. Ésa es la conducta que hay que adoptar. También conviene recordar que cualquier persona que haya creado algo, empezó con un pensamiento positivo; eso supone mucho trabajo y esfuerzo, sí, pero todo comienza con una perspectiva optimista, y eso se da por supuesto.»

La gente me ha hecho observar más de una vez que aunque puede que los oradores que intervienen en El secreto crean en la ley de la atracción, no se están de brazos cruzados esperando a que el dinero les caiga del cielo. Todos, hasta el último de ellos, son personas motivadas y muy trabajadoras. John Demartini sólo habla medio en broma cuando dice que se pasa la vida en la carretera dando conferencias y trabajando «cuatrocientos días al año».

Ellen Langer señala que cuando uno realiza un esfuerzo por «pensar positivamente», da crédito al pensamiento negativo. «Lo que llamamos positivo es algo hacia lo que nos sentimos atraídos inconscientemente; lo que denominamos negativo es algo de lo que nos apartamos inconscientemente», dice. En lugar de calificar los pensamientos de esta o aquella manera, ella recomienda no juzgar un pensamiento o un hecho en términos de bueno en oposición a malo.

«Si yo te preguntara si quieres conocer a mi amiga Susan y te dijera que es muy impulsiva, tú puedes percibir "impulsivo" como algo negativo y quizá no te apetecería conocerla. Si yo te dijera que Susan es espontánea, esa cualidad puede ser percibida como buena y estarías deseando conocerla. Pero realmente da igual. Hasta que no conozcas a Susan no sabrás realmente si ha merecido la pena. Cuanto más consciente eres, menos juzgas, así que no se trata de si algo es bueno o malo. Todo depende de cómo se entienda una idea o un hecho.»

«Solemos dar por buena la idea de que todo ha de ser positivo o negativo, pero lo que en realidad queremos decir es que todo tiene su lado positivo y su lado negativo. Byrne causó un perjuicio al desanimar a la gente con la idea de que no se pueden admitir los pensamientos negativos porque destruyen las posibilidades de conseguir lo que se quiere. Si quieres experimentar lo que consideramos positivo, es importante no ser "evaluativo"», recomienda Langer. Por supuesto, hay que advertir que esta teoría es mucho más útil para la cultura occidental. Sería un argumento muy difícil de sostener en el Darfur actual y en la Indonesia devastada por el tsunami.

John Demartini tiene un enfoque similar pero menos académico que el de Langer ante la cuestión de lo positivo y lo negativo, pero en muchos aspectos el orador inspirador y la profesora de Harvard comparten una filosofía similar. «El motivo por el que la gente tiene pensamientos negativos es por culpa de nuestra adicción a la fantasía y al sentimiento que ésta nos provoca; la fantasía de lo que es el amor, de cómo debería ser la vida –dice Demartini–. Nos convertimos en fanáticos cuando vemos los hechos o a las personas como buenos o malos. No creo que esto sea productivo. Nuestra conciencia nunca puede pensar que algo es positivo sin establecer una comparación negativa.»

Demartini utiliza una técnica neutralizadora en su taller de «Experiencia Descubrimiento», para mostrar a la gente que lo que ellos consideran positivo no lo es y que lo que consideran negativo tampoco lo es. El día que Demartini me citó para la entrevista me invitó además a presenciar unos talleres que hacía en Nueva York. Era mi primer taller de superación personal (aunque he asistido a retiros en Dai Bosatsu Zendo; algo muy diferente de lo que ofrece Demartini). Después de la experiencia entiendo por qué son tan efectivos para mucha gente.

El orador inspirador puede que no lo exprese de esta manera, pero la misión de Demartini en la vida es ayudar a la gente a superarse a sí misma. En lugar de recrearse en las emociones y experiencias que «nos oprimen» e interfieren con nuestra capacidad de alcanzar metas y disfrutar de la vida, quiere que los participantes en sus talleres aíslen las conexiones emocionales que tienen con hechos y personas del pasado para que puedan aceptarlos sin tener una crisis. Éste es un objetivo admirable pues muchas personas en nuestro mundo moderno asumen un papel de víctimas en la vida, que las exculpa de toda responsabilidad a base de acusar a los demás de sus fracasos. No se requiere ninguna reflexión personal, no hace falta responsabilizarse de sus propios actos. Así podríamos escuchar frases como: No puedo conseguir un trabajo porque la gente es racista. No puedo conseguir un ascenso porque no le gusto a mi jefe. No puedo tener unas relaciones satisfactorias porque mi madre me maltrataba. Soy adoptado, así que no me puedo relacionar con los demás. Procedo de una familia desestructurada, así que tengo motivo para ser egoísta; y otros ejemplos similares. «Básicamente todos somos iguales», dice Demartini, y la mitad del esfuerzo consiste en mostrar a la gente que el pensar que su problemática es «especial» los frena en lugar de impulsarlos hacia delante, e interfiere con sus posibilidades de experimentar el flujo.

Parte del procedimiento de Demartini requiere que uno se siente durante horas a escribir sobre las dos caras de cada persona, acontecimiento y recuerdo, que le venga a la mente para que uno pueda ver al final de un fin de semana agotador que lo que pensaba que era sencillamente «bueno» o «malo» no lo es. Durante el proceso se aprende a ser menos evaluativo, como diría Langer, sobre lo que le pueda suceder a uno en el futuro, y al hacerlo, uno se abre a más experiencias. Es cierto que cuando prejuzgamos una situación o a una persona nos cerramos la puerta a experiencias y quizá a oportunidades. Si se supone que *El secreto* trata de eso, entonces estoy totalmente a favor.

Como mínimo, la clave de la negatividad parece estar en la manera como se la enfoca. Arielle Ford relata la parábola del granjero que tiene un hijo sano. Su vecino lo visita y le comenta lo afortunado que es por tener un chico tan robusto. El granjero replica:

«Quizá». Luego el joven se rompe una pierna y el vecino consuela al padre diciendo: «Es terrible que tu hijo tuviera ese accidente». El granjero responde: «Quizá». Poco después, el rey llama a filas a todos los hombres jóvenes y sanos para luchar en una guerra sangrienta. El hijo del granjero no puede alistarse por culpa de su pierna rota. «Si hablas con cualquier persona que haya pasado por una crisis, si es sincera, te dirá que agradece el sufrimiento que ha pasado», dice Ford.

John Gray señala que si vas por la vida rechazando lo negativo no te quedará «sustancia» con la que crear. «La gente que pasa por la vida sin tener problemas no se enfrenta a retos. Una parte de lo que se echaba de menos en *El secreto* es que la vida no siempre te trae lo que esperas conseguir. Tienes que prepararte para las desilusiones; esto forma parte del proceso de vivir.» Esa decepción puede obligar a una persona sana a llevar a cabo grandes proezas y logros. El auténtico secreto para tener una vida exitosa puede consistir en aprender a sobrellevar las desilusiones y servirse de ellas.

Darren E. Sherkat, profesor de sociología en Southern Illinois University, en Carbondale, está especializado en movimientos sociales y religión. Dice que hay otro aspecto que habría que considerar en relación con los conceptos de positivo y negativo. Existe una correlación entre ser feliz y cometer errores cog-

121

nitivos o tener pensamientos erróneos. «La gente que es feliz se equivoca con frecuencia. Pueden recibir información correcta e ignorarla. Esto se llama "error de atribución fundamental", o la tendencia a enfatizar en exceso las explicaciones basadas en la realidad de los comportamientos observados en los demás, y por otra parte, a subestimar en exceso el papel y el poder de las circunstancias en los mismos comportamientos. Se pueden encontrar errores cognitivos similares entre personas extremadamente religiosas –dice Sherkat–. Tienden a ignorar sistemáticamente información o a recordar equivocadamente hechos de manera sistemática. Actuar como si las cosas fueran positivas, cuando en realidad son horribles, es una tontería y no sirve de nada en el mundo real. No proporciona a la gente una sensación de serenidad en sus circunstancias personales.»

La práctica lleva a la perfección: Laura Smith

Basta de teoría; hay personas que viven la ley de la atracción y tienen absoluta confianza en ella. Algunos podrían llamarlas optimistas con éxito. Laura Smith, directora de programación para la compañía multimedia de salud y bienestar Lime Radio, de Nueva York, pertenece a esa clase de personas.

«*El secreto* es la versión actual de una línea de pensamiento muy antigua –dice Smith, que empezó su búsqueda sobre el Nuevo Pensamiento al acabar sus estudios universitarios–. En la Grand Central Station encontré un folleto de la Ciencia Cristiana que explicaba que había una fuerza operativa en la vida de toda persona bondadosa, y que todos tenemos el poder de obrar milagros.» Ese descubrimiento fue el comienzo del interés de Smith por la metafísica, que la llevó a la obra de Louise Hay y Esther y Jerry Hicks. Al final, Smith consiguió llegar al Love Center en California, una especie de organización educativa sin ánimo de lucro que mejora el conocimiento del amor. Sus fundadores, Scott y Shannon Peck, le pidieron que describiera con detalle lo que significaba para ella un día perfecto, incluidos qué haría, adónde iría y con quién hablaría. «Esto me obligó a ser muy precisa en lo que quería. Ocurrió hace cinco años, y cuando miro lo que describí me doy cuenta de que es precisamente donde estoy ahora –dice Smith–: En un edificio alto en Nueva York, creando medios de comunicación para sanar al mundo que hace cinco años no existían.»

Smith lleva veinte años haciendo locución en *off* y comenzó a trabajar en la radio en la emisora de un centro social de Greenwich, Connecticut. «Todo lo que aprendí allí me ha llevado hasta donde estoy ahora, profesionalmente hablando. Al describir mi día perfecto no imaginaba que aquello me catapultaría directamente hasta aquí.» Mientras trabajaba en Greenwich, Smith entró en contacto con una compañía llamada Wisdom Radio en Bluefield, Virginia Occidental. Consiguió trabajo allí; más tarde esta compañía fue adquirida por un grupo inversor que cambió su nombre por el de Lime para poder llegar a una audiencia más mayoritaria. Sirius, la poderosa empresa de comunicación por satélite, emite ahora el programa desde Manhattan.

Smith dice que el relato de su día perfecto era tan minucioso y tan exacto que en un momento dado entró en el despacho de su jefe en Lime Radio y se dio cuenta de que era exactamente la habitación que había descrito en su guión.

La programadora explica que las afirmaciones por escrito también la ayudaron a conseguir su meta. «Leí en un libro que escribir sobre lo que quieres utilizando el presente y luego leerlo varias veces durante el día ayuda a manifestar tu deseo.» En aquellos momentos su objetivo era trasladarse de Connecticut a Nueva York para trabajar de *disc jockey*. «Así pues, escribí: "Estoy en LITE FM y ME ENCANTA"», y de hecho consiguió hacer realidad su sueño de trabajar como pinchadiscos en LITE FM, donde aún se la puede escuchar los fines de semana. «He de suponer que había cientos de solicitantes para ese trabajo», dice. Entonces, ¿qué la hizo destacar sobre el resto? Poco después, escribió afirmaciones sobre trabajar en Sirius y ese deseo también se cumplió. «Siempre soy muy concreta y escribo lo que está en mi corazón. Es una declaración al universo, vista por el mundo oculto. Creo en ello y pienso que me ayuda para que mis sueños se hagan realidad.»

Puede que las afirmaciones la hayan ayudado a enviar señales de confianza a su entrevistador, tema del que el doctor Howard Brody ha hablado con anterioridad. Lo que es seguro es que el empuje de Smith, su entusiasmo y energía son evidentes al escucharla, algo nada desdeñable cuando se navega en las turbulentas aguas del mundo del espectáculo y se es madre soltera. Su actitud le supone una clara ventaja en esa dura competición y es difícil no pensar que sus creencias, afirmaciones y pensamientos hayan tenido algo que ver con su éxito y felicidad.

Como persona profundamente familiarizada con los matices de la ley de la atracción, ella considera que el fallo más grande de *El secreto* es la ausencia de dos ideas importantes. La primera es la necesidad de liberar tu sueño una vez lo has pedido. «Se trata de pedir, tener fe, recibir y ¡dejar marchar! Eso es lo que dicen la mayoría de los libros sobre el tema, y es algo que se echa de menos en el de Rhonda.» Algunos psi-

cólogos denominan «reflexión excesiva» a este no dejar marchar, a este pensar sin cesar en una idea y darle vueltas una y otra vez hasta el punto de entorpecer
tu capacidad de actuar.

En segundo lugar, Smith hace hincapié en que la
gente ha de practicar la ley de la atracción para beneficio de todo el mundo. «La ley existe para tu provecho, pero la idea que transmite *El secreto* es que no es
importante el efecto que pueda tener en otras personas. No hay nada malo en anhelar una bicicleta, pero
no se trata simplemente de conseguir lo que quieres.
Le puedes decir a tu hijo que intente conseguir una
bici, pero eso no puede suceder a costa de quitársela
a otro; por eso se hace necesario mencionar que conseguir lo que quieres no debería hacerse a expensas
de otros. Por otra parte, agradezco que quienes ya no
creen que la vida sea buena puedan encontrar consuelo en *El secreto*. Hay mucha gente que piensa que
ser feliz es para los demás; y no es así.»

Entonces... ¿funciona?

Sí, en el caso de las personas que dicen que funciona.
De la misma manera que el cristianismo «funciona» para los cristianos, el judaísmo «funciona» para los
judíos, el yoga para los yoghis, y la brujería para los

brujos. Para el resto de los mortales, cascarrabias incluidos, no hay término absoluto; nuestro comportamiento, pero también nuestros pensamientos y percepciones, atraen y repelen las cosas, a las personas, y los acontecimientos. No es tan mala idea estar más atentos a lo que ocurre en nuestras vidas. En cualquier caso, el cerebro es capaz de hacer mucho más de lo que aparece indicado aquí (en el capítulo 5 podemos investigar un poco el tema). Pero realmente existen unos cuantos secretos que hacen que la vida sea mejor sin tener que convertirse en un bufón:

1. Acepta tus defectos y no te recrees en ellos.
2. Adopta una actitud optimista, que no es lo mismo que el pensamiento positivo.
3. Sé realista; no vivas en un mundo de fantasía.
4. Muéstrate agradecido por lo que tienes.
5. No prejuzgues a las personas o las situaciones.
6. Observa lo que ocurre a tu alrededor.
7. Expresa sueños razonables y haz algo por conseguirlos.
8. Relájate.
9. Mantén las relaciones sociales.
10. Preocúpate de ti y de los demás.
11. Ríete.

SEGUNDA PARTE

LAS IDEAS OCULTAS DETRÁS DE *EL SECRETO*

Este estudio de las ideas filosóficas, científicas y teológicas que hay detrás de la ley de la atracción dista mucho de ser exhaustivo. En este apartado nos fijaremos en la sutil concatenación de las ideas, la física y las religiones del mundo que forman un heterogéneo tapiz de inspiración e imitación de la primitiva literatura de autoayuda, tergiversaciones y contextualización de complejos conceptos científicos y matemáticos, y la reformulación de ideas religiosas que transforman los dogmas difíciles de digerir en una versión edulcorada y secular de los mismos.

La idea de El secreto surgió cuando Rhonda Byrne leyó el libro de Wallace D. Wattles, La ciencia de hacerse rico, escrito en 1910. Como sabemos muy poco de Wattles, solamente podemos analizar los textos que dejó escritos y los acontecimientos que tenían lugar en Estados Unidos mientras los escribía, a comienzos del siglo xx.

Wattles era un hombre de su tiempo. Escribió sobre el

131

Nuevo Pensamiento, un tema popular también entre otros escritores de la época. El Nuevo Pensamiento combinaba la filosofía con los avances científicos del momento para fomentar la idea de que la salud, la riqueza y la felicidad podían conseguirse por medio del control de las creencias conscientes e inconscientes, las actitudes y las expectativas; en resumen, la ley de la atracción. Estas ideas cuajaron de nuevo durante la Depresión, al atraer y ganarse a un nuevo grupo de escritores y lectores entre los que destacó Napoleon Hill y su clásico Piense y hágase rico, uno de los libros más vendidos de todos los tiempos; también triunfaron en la década de los sesenta, en los ochenta y, por supuesto, en la actualidad. Pero el Nuevo Pensamiento comenzó en el siglo XIX y no ha cambiado mucho desde entonces.

Se suele recurrir a la ciencia (y más concretamente a la física, la biología celular y la neurociencia) para demostrar que la ley de la atracción es una ley universal o una ley física. Sin embargo, incluso los físicos que participaron en El secreto han aclarado la interpretación de sus posturas en estos temas. Es más, algunos no ven ninguna conexión entre la física y la habilidad para encontrar aparcamiento en Manhattan siempre que se necesite. El secreto también dice que el cristianismo, el budismo y el judaísmo respaldan sus afirmaciones. Aunque Byrne limita sus referencias a la Biblia o a Jesucristo, quizá por miedo a ahuyentar a las personas no religiosas, la ley de la atracción tiene *una naturaleza bíblica. También existen tenues conexiones con las interpretaciones contemporáneas que se hacen en Occidente sobre la filosofía budista y el misticismo judío y la cábala.*

4

WALLACE WATTLES Y COMPAÑÍA

El libro *La ciencia de hacerse rico* escrito por Wallace D. Wattles hizo prender una idea en Rhonda Byrne, cuyo resultado le habría encantado si hubiera asistido al éxito de *El secreto*. Sus libros, que todavía se editan y pueden conseguirse gratis en Internet en www.ferguson-assoc.com, desmienten la afirmación de que en el pasado se acaparó y escondió la ley de la atracción.

Con toda seguridad las ideas de Wattles representaron una corriente de pensamiento centrada en la ciencia y el poder de la mente ampliamente extendida no sólo en Estados Unidos sino en toda Europa entre fines del siglo XIX y comienzos del XX. Su atractivo ha aumentado y disminuido con los años, pero su tema central, la ley de la atracción, ha sido el pilar principal de la Nueva Era y el movimiento metafísico durante mucho tiempo. La idea de Wattles, que no era original, tiene una pequeña deuda de manera indirecta con Benjamin Franklin y William James, de quienes ya he hablado en el capítulo 2: concretamente la ley de la atracción, en las ideas más modernas que surgieron en los tiempos inciertos y muy cambiantes de la Revolución Industrial a la primera guerra mundial.

Wattles: hombre misterioso internacional

Puede que la ley de la atracción no haya sido un secreto, pero la que sí parece estar oculta es la información detallada sobre la vida de Wallace Wattles. A pesar de la popularidad de sus libros, el personaje es un misterio. La única fotografía que se puede conseguir fácilmente en Internet, es la de un hombre de rostro fino y nariz muy prominente. Según una carta que su hija Florence escribió a uno de sus editores tras la muerte del escritor, Wattles nació en el seno de una familia metodista en 1860; era más bien de constitución débil, sobre todo en su madurez, y murió en 1911, justo un año después de la publicación de *La ciencia de hacerse rico*. Era natural del Medio Oeste y se estableció en Indiana. El apellido «Wattles» es poco común, pero no único. Whitepages.com tiene un listado de 293 personas llamadas Wattles repartidas por

Estados Unidos. Cualquiera de ellas podría ser un pariente lejano de Wally, como lo llaman sus seguidores, y dado el reciente interés por sus libros no sería de extrañar que éstos empezaran a aparecer de cualquier parte para reclamar sus derechos.

Resulta imposible encontrar en los periódicos de la época información sobre Wallace, tanto en LexisNexis como en ProQuest, los archivos históricos del *New York Times*. Esto sugiere que Wattles no destacaba especialmente en la ciencia del movimiento mentalista, puesto que el *New York Times* seguía el circuito de conferencias y procuraba mencionar a los participantes y conferenciantes. No hay entradas sobre él en versiones nuevas o antiguas de la *Encyclopedia Britannica* o la *Columbia Encyclopedia*. Los mormones, famosos por su ingente recopilación de información genealógica, no tienen ningún registro de Wallace Wattles o de su hija Florence. El interés de los mormones por la genealogía tiene motivos teológicos. Creen que es un mandato religioso ayudar a mormones y no mormones por igual a preservar los registros familiares. Este esfuerzo monumental ha dado como resultado la Biblioteca de Historia Familiar, con una colección de unos 8 000 millones de nombres. La biblioteca de Salt Lake City es la colección de registros genealógicos más grande del mundo. Por eso resulta extraño que los mormones dejaran fuera a dos estadounidenses nacidos hace más de cien años, sobre todo si tenemos en cuenta que uno escribió libros que se siguen vendiendo hoy, y la otra militó activamente en el Partido Socialista. No me fue posible encontrar partidas de nacimiento; no pude encontrar ningún registro oficial de su existencia. Sin embargo, el nombre de Florence Wattles aparece en las listas de delegados en el Comité Nacional del Partido Socialista en los años 1912 y 1915; parece muy probable que se trate de la hija de Wattles, como se verá más adelante.

Wattles: ¿Un liberal en limusina?

En la introducción a *La ciencia de hacerse rico*, Wattles dice que Descartes, Spinoza, Leibniz, Schopenhauer, Hegel y Emerson influyeron en sus ideas. Puede que hubiera leído sus enseñanzas, pero parece que fue una introducción al socialismo cristiano la que le empujó a comenzar a escribir. El socialismo cristiano es una mezcla de cristianismo y política de izquierdas, y fusiona el interés mutuo por la búsqueda de un orden social igualitario y contrario al orden establecido. Es anticapitalista, lo que resulta irónico puesto que el libro más famoso de Wattles trata sobre la acumulación de riqueza. Todavía resulta más extraño que después de estar casi en la ruina mucho tiempo, según

Florence, Wattles ganase enormes sumas de dinero a lo largo de los últimos tres años de su vida dando conferencias, escribiendo y vendiendo libros.

«Durante años vivió atormentado por el miedo a la pobreza –escribió Florence–. «Siempre estaba maquinando y planeando cómo conseguir para su familia aquellas cosas que permiten tener una vida acomodada.» Más pobre que las ratas y desesperado por encontrar un poco de inspiración con lo que cambiar su suerte, un día de diciembre de 1896, Wattles viajó a una convención de reformistas en Chicago para escuchar a George D. Herron, un popular conferenciante. Allí «comprendió la visión social de Herron –prosiguió Florence–. Desde aquel día hasta su muerte trabajó sin cesar para llevar a término la gloriosa visión de la hermandad humana.»

Herron, clérigo y miembro del Partido Socialista, escribió numerosos libros y folletos sobre temas sociales y religiosos entre los que destacan *The christian state: a political vision of Christ* (1895; en Amazon se puede encontrar una reedición de 2001), *The menace of peace* (1917) y *The defeat and the victory* (1921). Herron también financió los primeros escritos del otrora miembro del Partido Socialista Upton Sinclair (que abandonó el partido en 1934).

Herron comenzó su carrera como pastor de la Iglesia Congregacional en Lake City, Minnesota, y luego se trasladó a Iowa para presidir la Primera Iglesia Congregacional en Burlington. En 1893, Carrie Rand, una de las fundadoras de la Rand School y activa socialista, trabó amistad con Herron y se casaron después de que él se divorciara de su primera mujer. Además, le financió la creación de una cátedra de cristianismo aplicado en la Universidad de Iowa. Herron fue miembro de esa facultad hasta que presentó su dimisión forzada en 1900; la administración de la universidad se había hartado de sus actividades socialistas. Poco después de su marcha, Herron abjuró del socialismo cristiano y se convirtió en miembro del Partido Socialista.

Según el libro de Robert M. Crunden, *Ministers of reform: The progressives' achievement in American civilization, 1889-1920*, Herron «fue probablemente el clérigo reformista más famoso de su tiempo y la voz con más difusión que abogaba por la reforma de la iglesia». Al final del siglo XIX, escribe Crunden, la religión proporcionaba la «fuerza motivadora central del pensamiento innovador» en lo que a temas seculares se refiere. Cuando Wattles, que estaba en la miseria, oyó hablar a Herron, puede que reconociera ideas inspiradas por Hegel y presentadas en *The Christian state*:

Sólo lo espiritual es real y eterno.

La conciencia de nuestra propia mente y sus poderes se ve sobrepasada por la conciencia de raza de una mente universal y un espíritu soberano presentes en todos los hombres, y que los hace miembros de una y otro, y convierte a la humanidad en cuerpo de Dios.

Sólo necesito apelar a tu inteligente consideración de la historia, a tu conciencia del mundo dentro de ti y a tus observaciones del mundo exterior para que coincidas conmigo en que el mundo está gobernado de una manera mucho menos institucionalizada de lo que solemos pensar.

Cualquier interpretación científica de la historia, cualquier análisis fidedigno del progreso sólo puede concluir con el testimonio del hecho supremo del gobierno oculto del mundo.

En cualquier caso, Florence dijo que su padre estaba convencido: «Nunca le abandonó la fe suprema del hombre; en ningún momento perdió la confianza en el poder de la inteligencia maestra para enmendar cualquier error y para dar a cada hombre y a cada mujer su parte correspondiente de las cosas buenas de la vida».

Del socialismo al Nuevo Pensamiento

Después de asimilar el socialismo cristiano, Wattles se trasladó a Elwood, Indiana, donde se adhirió al movimiento del Nuevo Pensamiento y comenzó a escribir de forma regular para una de sus revistas más importantes, *Nautilus*.

El Nuevo Pensamiento era contemporáneo y estaba sutilmente relacionado con el socialismo cristiano. Hacía hincapié en la consecución de la salud, la riqueza y la felicidad por medio del control de las creencias conscientes e inconscientes, las actitudes y las expectativas, es decir, la ley de la atracción. Como escribió Sarah J. Farmer, una líder de los primeros tiempos, sobre el movimiento: «Tan sólo se trata de relacionarnos de otra manera con el mundo que nos rodea a base de cambiar nuestros pensamientos sobre él. No somos criaturas de las circunstancias, somos creadores». Palabras seductoras para la gente común y corriente que quería participar de la gran riqueza que mostraban personas como Jim Fisk, Jay Gould y Cornelius Vanderbilt.

En el libro *Each mind a kingdom: Women, sexual purity, and the New Thought movement, 1875-1920*, la escritora Beryl Satter, que no menciona a Wattles en su obra, escribe que para los reformadores del Nuevo Pensamiento «sólo podría existir un gobierno si las personas que componen su ciudadanía son virtuosas, abnegadas y económicamente independientes (y por tanto incorruptibles)». Satter también considera el Nuevo Pensamiento como una forma de que sus partidarios, mayoritariamente blancos y de clase media (también las mujeres), alcancen la perfección racial. «Pensaban que las personas moral y físicamente perfectas ayudarían a salvar a la república de la ruina moral, política y económica.» Esto parece lógico teniendo en cuenta que, entre 1866 y 1912, Estados Unidos acogió a más de veinticinco millones de personas, principalmente europeas, en una de las más importantes olas de inmigración que ha vivido el país. Entonces, como ahora, la inmigración extranjera era un tema candente que provocaba mucha intranquilidad en la clase media.

El movimiento del Nuevo Pensamiento en sí no era ningún secreto; es más, el marketing agresivo y entusiasta de sus ideas por medio de artículos en revistas, reportajes en los periódicos, folletos, libros, manifestaciones públicas y discursos, recuerda a las técnicas de mercadotecnia que utilizan los oradores inspiradores de hoy. Los escritores del Nuevo Pensamiento querían divulgar su mensaje para ganar adeptos y hacer dinero. Lo último que pretendían era mantener sus ideas en secreto. Florence Wattles asegura al respecto que las conferencias que daba su padre los domingos por la noche en Indianápolis fueron la única fuente de ingresos de la familia durante un tiempo. No hubiera sido rentable que se guardara para sí su extraordinaria sabiduría.

Nuevos pensamientos a partir de ideas antiguas

Muchas de las ideas centrales del movimiento del Nuevo Pensamiento se suelen atribuir a Phineas Parkhurst Quimby, que nació en New Hampshire en 1802 (su padre era herrero) y vivió en Maine. Quimby creía que la mente y el cuerpo interactúan mutuamente, una idea que en su tiempo se consideraba radical y disparatada, pero que hoy está más que aceptada. También sostenía que las creencias eran tan responsables de las enfermedades físicas como la biología.

> Toda enfermedad es una invención del hombre, y carece de identidad en la sabiduría; pero para aquellos que creen en ella, es una verdad. Si se eliminara todo lo que el hombre no comprende, ¿qué es lo que quedaría de él? ¿El hombre sería mejor o peor si un 90% de todo lo que dice saber se borrara de su mente y existiera sólo con la verdad?

Cuatro personas ayudaron a difundir las ideas de Quimby y las denominaron Nuevo Pensamiento: Warren Felt Evans, Annetta Seabury Dresser, Julius Dresser y Mary Baker Eddy, fundadora del movimiento de la Ciencia Cristiana (hay más información sobre Baker Eddy en el capítulo 6). Julius y Annetta Dresser y Mary Baker Eddy, de soltera Mary Patterson, recibieron un tratamiento de «sanación mental» por parte de Quimby, y así fue como se conocieron todos. (Quimby y sus seguidores están influenciados por el científico y filósofo del siglo XVIII Emanuel Swedenborg.)

Otros pioneros del movimiento de autoayuda trabajaban casi al mismo tiempo que el grupo del Nuevo Pensamiento. Orison Swett Marden, otro sólido representante de Nueva Inglaterra, escribió numerosos libros de autoayuda, entre ellos *¡Siempre adelante!* (1894) y *How to get what you want* (1917). En 1897 fundó la revista del Nuevo Pensamiento *Success*, que dejó de publicarse en 1912, pero que Marden volvió a poner en circulación en 1918. Durante su primera andadura, esta publicación tuvo una difusión de medio millón de ejemplares, una cantidad considerable para la época. Marden tenía influencias de Samuel Smiles, un escocés autor de *Ayúdate,* en 1859, un libro que alentaba la idea de la realización individual. A éste le siguieron otros que ensalzaban diversas virtudes: *El carácter, Thrift, El deber* y *Vida y trabajo.*

La primera plasmación de la revista *Success* incluía una mezcla de Nuevo Pensamiento, ciencia, religión, consejos para enriquecerse, etiqueta, recomendaciones sobre moda y aseo, así como respuestas para las mujeres modernas que no sabían si merecía la pena trabajar, si no necesitaban realmente el dinero. Por ejemplo, el número de febrero de 1904 incluía estos artículos: «Cómo Wall Street crea algo a partir de la nada» (con el siguiente subtítulo: «Destacadas asociaciones han saltado por los aires a causa de un exceso de agua y valores difíciles de digerir, y lo que ha salpicado a un público imprudente»), escrito por David Graham Phillips; «Superioridad, la mejor marca comercial», de Orison Swett Marden; y «Un llamamiento a las buena maneras», de la señora Burton Kingsland. En el número de julio de 1903 podía leerse: «El réquiem de las viejas glorias», de Owne Kildare; «La costumbre de no sentirse bien», de Orison Swett Marden; y «Sugerencias sobre cómo vestirse», de Marion Bell.

Nautilus fue otra publicación puntera del Nuevo Pensamiento que publicó la señora Elizabeth Struble (más tarde apellidada Towne) desde fines del siglo XIX hasta principios de la década de los cincuenta del siglo pasado. Según su necrológica, aparecida en el *New York Times* el 2 de junio de 1960, la revista alcanzó los 90 000 ejemplares en la cumbre de su popularidad.

Struble, natural de Oregón, se encontró como madre soltera después de que su matrimonio de juventud se rompiera. Elizabeth era la personificación del valor. En 1898, con una inversión de treinta dólares fundó un opúsculo sobre el Nuevo Pensamiento llamado *Nautilus* para conseguir algo más de dinero para su familia. En 1900 se trasladó con sus dos hijos y la revista de Oregón a Holyoke, Massachussets. Allí conoció a William E. Towne, exitoso editor y distribuidor de libros y revistas, con el que se casó y del cual tomó el apellido. Con su dinero consiguió crear una lucrativa compañía editora sobre Nuevo Pensamiento.

Towne también logró convencer a muchos de los más famosos escritores del Nuevo Pensamiento para que escribieran para *Nautilus*. Publicó artículos de Wallace Wattles en casi cada número durante las primeras décadas del siglo pasado. En los primeros números también se pueden encontrar las firmas de Ella Wheeler Wilcox, Horatio W. Dresser (hijo de Annetta y Julius) y Orison Swett Marden. Asimismo, comercializó libros de autores del Nuevo Pensamiento, como hacen en la actualidad las editoriales Hay House o Beyond Words (editora de *El secreto*, ahora propiedad de Simon and Schuster).

Elizabeth también escribió varios libros. Su autobiografía de 1902, *Experiences in self-healing*, que sólo abarca veinte años de su extraordinaria vida, vendió 100 000 ejemplares, una cantidad considerable incluso para hoy en día. *Joy philosophy*, escrito en 1903, contiene un pasaje que muestra claros vínculos con la ley de la atracción:

> Esta alternancia de Ser a Hacer, de YO SOY a YO HAGO, es el secreto del poder, el progreso y el éxito. Es la respiración del alma. Se inhala en el mundo de YO SOY; se exhala en el mundo de YO HAGO. Cuanto más fácil y regularmente vibres entre estos dos, más completa será tu realización de la salud y el éxito.
>
> Cuando tengas ese sentimiento de cansancio y fracaso por culpa de exhalar demasiado en el mundo del YO HAGO, sólo tienes que elevarte hasta el reino del YO SOY y, por medio de la imaginación y la afirmación, llenarte completamente de YO SOY poder. YO SOY sabiduría. YO SOY amor. YO SOY lo que yo deseo ser. TODAS las cosas trabajan juntas para la manifestación de lo que YO SOY.

Towne era feminista y una celebridad por méritos propios. No sólo se ganó la vida varios años con sus folletos de Nuevo Pensamiento, también fue la fuerza impulsora de la compañía que llevaba su nombre, Elizabeth Towne Company, fundada mucho antes de que se ratificara la decimonovena enmienda en 1920. Fue una conferenciante incansable y estuvo presente en muchas asambleas del Nuevo Pensamiento. El 2 de julio de 1905, el *New York Times* anunció que Towne hablaría sobre «La fuente del éxito en nuestro interior», en la convención anual de la Liga Nacional de Mujeres Empresarias en el Hotel Endicott de Manhattan. Fue presidenta de la Alianza Internacional de Nuevo Pensamiento en 1924, asumió la edición de su *Bulletin*, y durante su mandato consiguió duplicar su tamaño al pasar de un folleto de dieciséis páginas a una revista de treinta y dos.

En 1928, el *New York Times* informó sobre su intento de conseguir la alcaldía de Holyoke. Prometió que si salía elegida «el servicio al ciudadano tomaría las riendas del poder para que los beneficios no fueran a parar a la banda que ha campado a sus anchas en todas las administraciones y bajo el mandato de todos los alcaldes hasta donde alcanza mi memoria política». Towne declaró con confianza que «la única esperanza de un cambio que ponga la política al alcance de todos es que lo haga la única mujer independiente, práctica y con sabiduría política de Holyoke que se postula como alcaldesa, es decir, Elizabeth Towne». Sin embargo, Towne perdió las elecciones. Continuó dirigiendo *Nautilus* hasta 1951 y murió en una residencia de ancianos de Holyoke el 1 de junio de 1960 a la edad de noventa y cinco años.

Los miembros secretos del Nuevo Pensamiento

En *El secreto*, Byrne incluye perfiles biográficos y citas de otros escritores populares del Nuevo Pensamiento: Charles Haanel (1866-1949); Genevieve Behrend (1881 c-1960); Robert Collier (1885-1950); y la más adelantada Prentice Mulford (1834-1891). Al igual que los escritores y oradores metafísicos de hoy en día, también coincidían en sus ideas y se esforzaban por hacer llegar sus opiniones al mayor número de personas posible por medio de la venta de folletos y conferencias. Sus disertaciones, que estaban abiertas al público de manera gratuita, les servían con frecuencia de escenario en el que vender sus panfletos al fondo de la sala. Así reforzaban su personalidad, una estrategia que todavía se utiliza hoy. Los breves extractos de su trabajo que mencionaré aquí muestran las líneas de pensamiento similares que había entre ellos y que también les unen con escritores metafísicos actuales. De hecho, muchos se han apoderado sin más de aquellas obras anteriores y las han firmado con su nombre. Algunos de estos libros, incluidos los de Wattles, puede que hayan caído en el olvido con el paso de los años, más por desinterés que por una conpiración para esconder la información al público. Y, francamente, ninguno de ellos, quizá con la única salvedad de Mulford, fue considerado alguna vez como un escritor o pensador importante en su momento. Se los tenía por integrantes de una tendencia que demostró ser efímera, como tantas otras. Afortunadamente, aún se encuentran reediciones de muchos de sus libros y pueden encargarse *on-line;* algunos, incluso, se pueden conseguir gratis por Internet.

Cuando Byrne dice en *El secreto* que la información sobre la ley de la atracción es cara, puede que se refiriera al libro del empresario Charles Haanel *La llave maestra*, que desarrolló en 1912 como si fuera un curso de veinticuatro semanas, por el que cobraba 1.500 dólares. Esto suponía una enorme suma de dinero para la época, pero hoy está disponible en Internet de manera gratuita en www.psitek.net/pages/PsiTekTMKSContents.html; también puede adquirirse como libro en Amazon por unos quince dólares. En 1922, Haanel escribió *Mental chemistry*, con capítulos sobre «sugestionar» la enfermedad y el dolor vital, y cómo la mente puede influir en la suerte y el destino.

Haanel fue un empresario de éxito que nació en Ann Arbor, Michigan, el 22 de mayo de 1866. En un momento dado se trasladó a México y convenció a unos inversores para que compraran tierras donde cultivar azúcar y café en Tehuantepec. La compañía se formó en 1898, él fue nombrado presidente y en 1905 la fusionó con otras seis para crear la Continental Commercial Company. También ayudó a fundar la Sacramento Valley Improvement Company, consiguió la propiedad y el control de un importante viñedo de Tokay, y fue presidente de la Mexico Gold and Silver Mining Company. A diferencia del socialista cristiano Wallace Wattles, Haanel era republicano. Sin embargo, ambos se sintieron atraídos por el Nuevo Pensamiento y lo utilizaron como una filosofía para hacer dinero; el Nuevo Pensamiento estaba por encima de cualquier diferencia, incluso política. Haanel escribió varios folletos y libros sobre esta tendencia, como *The new psychology* y *Los sorprendentes secretos del yoghi*. Pero sin duda *La llave maestra* es con mucho su libro más famoso y la comercialización de la información a través de un curso por suscripción semanal fue una genial ocurrencia empresarial.

En la cuarta lección de *La llave maestra*, Haanel escribe:

El pensamiento es energía y la energía es poder, y dado que todas las religiones, ciencias y filosofías que el mundo ha conocido hasta hoy se han basado en la manifestación de esta energía, en lugar de en la energía como tal, el mundo se ha reducido a los efectos, mientras que las causas han sido ignoradas o malinterpretadas. Por esta razón se habla de Dios y diablo en religión, positivo y negativo en ciencia, y bueno y malo en filosofía.

Genevieve Behrend, otra popular escritora del Nuevo Pensamiento citada como experta en *El secreto*, estudió con Thomas Troward (1847-1916), seguidor de la ciencia mental que nació en la India donde su padre, británico, era coronel en el ejército indio. Thomas escribió para una publicación británica de Nuevo Pensamiento llamada *Expressions*, y dio conferencias sobre la ciencia mental por todo Reino Unido. William James, profesor en Harvard y psicólogo, fue conocedor de la obra de Troward y observó que sus conferencias sobre la ciencia mental en Edimburgo son «con diferencia la exposición filosófica más sólida que he conocido, hermosa en su constante claridad de pensamiento y estilo, un alegato realmente clásico».

Behrend estudió con Troward durante un par de años. A continuación, hacia 1915, abrió una escuela de Nuevo Pensamiento en Nueva York, llamada la Escuela de los Constructores, y la dirigió hasta 1925. Más tarde fundó un centro similar en Los Ángeles y después, y durante los treinta y cinco años siguientes, se dedicó a viajar como conferenciante itinerante a tiempo completo sobre la ciencia mental y el Nuevo Pensamiento. Su primer libro fue *Your invisible power*, escrito en 1921 y todavía a la venta. Con menos de cien páginas, entre los títulos de sus capítulos encontramos: «Cómo atraer hacia ti los objetos que deseas» y «Cómo atraje hacia mí veinte mil dólares». En este último escribe:

> El poder interno que te permite formar la imagen de un pensamiento es el punto de partida de todo lo que existe. En su estado original es la indiferenciada y amorfa esencia de la vida. Tu imagen mental forma el molde (por así decirlo) en el que esta esencia amorfa toma forma... La feliz seguridad con la que creas tu imagen es el auténtico imán poderoso de la fe, y nada la puede borrar. Eres más feliz que nunca porque has aprendido a conocer dónde se encuentra tu fuente de suministros, y cuentas con su inagotable respuesta a las instrucciones que has dado.

Joe Vitale, uno de los expertos que aparece en *El secreto*, volvió a publicar uno de los libros de Behrend, *Attaining your desires by letting your subconscious mind work for you*, bajo el título ligeramente cambiado de *How to attain your desires by letting your subconscious mind work for you, Vol. 1*. La cabecera en la contraportada dice: «El fogoso autor texano infunde nueva vida a una mujer muerta». Más abajo se describe a Vitale como «un redactor publicitario mundialmente famoso» que creó el método de «escritura hipnótica», una técnica para aprender a redactar eficaces cartas comerciales y de marketing.

En la introducción que aparece en el libro original, Behrend escribe:

El poder mental es el reino de Dios en nosotros, y siempre obtiene resultados físicos que se corresponden con nuestros pensamientos constantes y normales. Como ha dicho Troward: «El pensamiento es la única acción de la mente. A través de tus pensamientos habituales creas las correspondientes condiciones físicas externas, porque así formas el núcleo que atrae hacia sí su propia correspondencia, en el orden debido, hasta que el trabajo finalizado se manifiesta en el plano material». Éste es el principio sobre el que seguiremos buscando una base sencilla y racional de pensamiento y acción con la que podamos trasladar a una expresión externa cualquier objetivo que deseemos.

El tercer escritor famoso del Nuevo Pensamiento mencionado en *El secreto* es Robert Collier. Collier, que tenía una enorme facilidad de palabra, nació el 19 de abril de 1885 en Saint Louis. Su padre, John Collier, viajaba con frecuencia y durante largos períodos como corresponsal extranjero para *Collier's magazine*, fundada y publicada por su hermano, el tío de Robert, Peter F. Collier. Robert ingresó en el seminario con la intención de unirse a la iglesia, pero cambió de opinión y se dirigió a Virginia Occidental para buscar su propio camino antes de incorporarse finalmente al negocio familiar. Encontró trabajo de ingeniero de minas y estudió correspondencia empresarial y publicidad en su tiempo libre. Como Joe Vitale, finalmente se hizo redactor publicitario. Ocho años después de trasladarse a Virginia Occidental, Collier viajó a la costa Este, a Nueva York, y se incorporó a la compañía de su tío en el departamento de publicidad de la P. F. Collier Publishing Company.

Robert, como Wallace Wattles, era enfermizo. Al no poder identificar su enfermedad ni tratarse con métodos convencionales, buscó ayuda y una curación definitiva en la Ciencia Cristiana, lo que le llevó a interesarse por la alimentación saludable y el Nuevo Pensamiento. Al igual que Rhonda Byrne, indagó en su literatura y filosofía y encontró no sólo la realización personal sino también una oportunidad de hacer negocio. Collier sintetizó estas ideas de «psicología práctica» y en 1926 las recopiló en una colección de libros llamada *El secreto eterno* (todavía disponible en un único volumen). En seis meses había vendido más de 300 000 ejemplares. Al comprobar la demanda, escribió cuatro libros o cursos sobre el Nuevo Pensamiento: *The God in you*, *The secret power*, *The magic word* y *The law of the higher potential*.

Collier murió en 1950. Un año antes, en 1949, publicó *Be rich! The science of getting what you want*, en el que aparece una escena donde Aladino frota la lámpara de aceite para que aparezca el genio que le concederá sus deseos, y que recuerda a una de *El secreto*.

Aquí está el secreto de las riquezas y el éxito que ha permanecido enterrado en lo más profundo durante 1900 años. Desde el inicio de los tiempos, la humanidad ha estado buscando el secreto. Y lo ha encontrado y perdido muchas veces. Nuestros antepasados de todas las razas tenían una vaga idea de él, como demuestran los cuentos tradicionales y las leyendas que nos han llegado, como el de Aladino y la lámpara maravillosa, o Ali Baba, que con su «ábrete sésamo» descubrió el tesoro.

De entre todos los Nuevos Pensadores que aparecen en *El secreto*, Prentice Mulford es quizá el más fascinante. Contemporáneo de Mark Twain, nació en Sag Harbor, Nueva York, entre los años 1835 y 1840, según una necrológica y una crónica de su vida aparecidas el 1 de junio de 1891 en el *New York Times*. Antes de que Mulford se interesara por el Nuevo Pensamiento y comenzara a escribir sobre él, ya había vivido una existencia pintoresca y muy intensa, por no decir llena de avatares. Merece la pena conocerla, no sólo porque contrasta con lo poco que sabemos de Wattles, quien parecía estar, a su manera, desesperado por encontrar algo que diera sentido a su vida y dinero para su bolsillo, sino también porque nos muestra a Mulford como un buscador, alguien perfectamente situado para sentirse atraído por la «ciencia mental».

De pequeño, Mulford merodeaba cerca de los barcos y de los marineros que frecuentaban el puerto ballenero próximo a su casa, mientras absorbía sin duda sus relatos de aventuras y viajes. Más tarde le entró la fiebre del oro y, en 1855, viajó a San Francisco a bordo del clíper *Wizard*. Una vez allí, trabajó como cocinero y camarero en la goleta *Henry*, que se dirigía rumbo al sur de California, donde el joven pasó varios años tratando de encontrar oro infructuosamente. Después trabajó de maestro en un campamento minero en el condado de Tuolumne, California.

Cuando comenzó la locura de la búsqueda de cobre en 1862, Mulford reclamó una parcela cerca de una ciudad con el apropiado nombre de Copperopolis («ciudad del cobre»). Durante los diez años que duró la actividad minera allí, ganó y perdió una fortuna muy exigua. Inasequible al desaliento, cuando se enteró de que se había encontrado plata en Nevada, compró los derechos de explotación de unos terrenos, viajó hasta allí y creó la Mulford Mining, Prospecting and Land Company. La compañía fue a la ruina en menos de un año, y Mulford volvió al punto de partida, sin un centavo, pero todavía decidido a llegar a ser alguien. Regresó *caminando* hasta el sur de

California y en el camino estuvo a punto de morir congelado.

Después de varias semanas extenuantes de viaje, y sano y salvo en Sonora, consiguió trabajo como excavador de agujeros para postes. Para divertir a sus compañeros, Mulford escribió un discurso cómico, probablemente sobre el trabajo que realizaban, que según parece divirtió a sus colegas. El entusiasmo que mostraron le ayudó a darse cuenta de que tenía mucho palique, así que dedicó su talento a escribir y se hizo cómico ambulante. En 1865 oyó hablar del Nuevo Pensamiento y comenzó a interesarse por sus teorías. Un año más tarde, se planteó la idea de presentarse a un cargo en la política local aunque luego la abandonó; en su lugar empezó a escribir cartas al director de un semanario de San Francisco llamado *Golden Era*, a menudo firmadas con el nombre de «Dogberry». Quedó tan impresionado con sus escritos que le ofreció trabajo y finalmente le nombró jefe de redacción de la publicación.

Mulford trabajó por su cuenta para otros periódicos y revistas, y hacia 1882 se trasladó a Nueva York, donde se convirtió en director del diario *Graphic*. Después siguió trabajando para periódicos de San Francisco y publicó reportajes sobre la Exposición del Centenario de Filadelfia, y las exposiciones de París y Viena. Vivió durante un tiempo en Londres, desde donde envió informaciones como corresponsal. También escribió su autobiografía, *Life by land and sea*, y otro libro llamado *The swamp angel*.

A esas alturas ya era un periodista y aventurero famoso, y su interés por el Nuevo Pensamiento se había convertido en una actividad formal, por lo que empezó a escribir ensayos sobre la ciencia de la mente, treinta y siete de los cuales se publicaron en *White cross magazine*, otra publicación dedicada al Nuevo Pensamiento; muchos de ellos han sido recogidos en un libro que hoy todavía está a la venta. Sus temas incluían «Las leyes del matrimonio», «La esclavitud del miedo» y «El arte de olvidar». También dio conferencias sobre Nuevo Pensamiento, y sobre cultura e historia, como por ejemplo, una en 1875, en el Club Liberal de Nueva York, acerca de «Las causas subyacentes de la intemperancia». En 1876 dio otra sobre la comunidad china en California, en la Trinity Chapel de Nueva York.

Según otra crónica del *New York Times* sobre la vida de Mulford, aparecida el 9 de diciembre de 1891, fue en Londres donde el periodista conoció a la joven que cambió su vida. Una chiquilla de dieciséis años se le acercó para comprar un periódico. Después de hablar con ella, descubrió que se trataba de una huérfana «que vivía en una buhardilla». Mulford se interesó por la chica y arregló todo para que una acaudalada amiga suya la mantuviera y se encargara de su educación. Según Jim Gillis, antiguo minero en Sonora y amigo de Mulford, «se convirtió en una brillante alumna y en una muchacha muy hermosa». Cuando cumplió diecinueve años, Mulford se casó con ella y la llevó de vuelta a Nueva York donde, según la crónica, Mulford la descubrió tonteando con otro hombre. Desconsolado, le dio todos sus ahorros, 5000 dólares, y se separaron. La joven sólo se llevó la mitad del dinero y nunca le volvió a ver, aunque no llegaron a divorciarse legalmente.

Deprimido, Mulford volvió a California un tiempo durante el cual, según Jim Gillis, prefería emborracharse a escribir. Eso sí, consiguió publicar (con esfuerzo) unas cuantas «cartas sindicadas» en diferentes periódicos del país. En 1890 le organizaron una conferencia sobre un tema indeterminado y, al terminarla, Mulford volvió a la costa Este por última vez.

Su cuerpo fue encontrado en una canoa en Sheepshead Bay, Brooklyn, en mayo de 1891. Su cuerpo permaneció sin identificar durante varios días hasta que F. J. Needham, el hombre que publicó los ensayos de Mulford sobre Nuevo Pensamiento, lo hizo. Se descubrió que «el bote estaba a poca distancia de la costa y que el sonido de su voz se habría podido oír fácilmente en caso de haber pedido auxilio». Una semana antes se había despedido de Needham con la promesa de una comisión para escribir una columna semanal para su *White Cross Magazine*.

Needham dijo que Mulford se encontraba bien y contento, pero «necesitaba estar solo para acabar su trabajo, así que estaba decidido a combinar el negocio con el placer haciendo un viaje en su canoa desde esta ciudad hasta su vieja casa en Sag Harbor». El editor dijo que eso no era raro en Mulford pues, cuando no vivía con él, se quedaba en su canoa, «donde comía y dormía». Llevaba 25 dólares en el bolsillo, y su bote estaba bien provisto de comida, ropa, una estufa de aceite, una botella de ron St. Croix, y mantas, junto con material artístico y utensilios de escritura. «A Mulford le gustaba este estilo de vida nómada y como no tenía a nadie por quien preocuparse, remaba, navegaba y se dejaba ir a la deriva, sin rumbo, como más le apetecía.» Su cuerpo estaba limpio y sin marcas; no se encontró veneno a bordo, pero eso no descartaba que lo hubiera en su organismo. En aquella época, se dijo que había muerto por una enfermedad cardíaca no diagnosticada o por apoplejía... o un posible suicidio.

Es más, después de su muerte, los amigos de Mulford señalaron que su «punto débil» había sido su interés por «el espiritualismo y extravagancias afines», a los que se había acercado como periodista. Un grupo de cartas farragosas encontradas en la canoa hacen referencia al «espíritu» que velaba por él y le prometía un brillante futuro. Tras la muerte de Mulford, Needham publicó los ensayos aparecidos en la revista *White Cross* en una serie de folletos con títulos tales como «Los pensamientos son las cosas», «La fuerza y cómo conseguirla», «El Dios que hay en ti» y «Cómo darle dinamismo a tu negocio». En lo que podría considerarse un acto de clarividencia, Mulford escribió lo siguiente en «Los pensamientos son las cosas», en 1889, pocos años antes de su muerte:

La ciencia de la felicidad estriba en controlar nuestro pensamiento y conseguirlo a partir de fuentes de vida saludable. Cuando logres apartar de tu mente la costumbre de muchos años de pensar y vivir en el lado pesimista de las cosas y de dejar entrar pensamientos pesimistas, descubrirás para tu sorpresa que el mismo lugar cuya sola visión te producía dolor te dará alegría. Porque has desterrado de tu lado un cierto estado mental insano al que te habías dejado llevar sin rumbo.

Byrne tiene razón cuando dice que el secreto es una información que viene de antiguo; es sorprendente cómo se asemejan las ideas de los escritores metafísicos en activo en la actualidad a las de los escritores del Nuevo Pensamiento. Es llamativa también la manera en que los «maestros» de cada generación se ganaron la vida de modo parecido, como oradores ambulantes, editores de sus propias obras y guías de talleres. Un buen modelo de mercadotecnia nunca muere.

5

¿QUÉ DIABLOS TIENE QUE VER LA CIENCIA CON *EL SECRETO*?

> La ciencia es algo fascinante. Con una inversión insignificante en realidades, uno recibe un gran rendimiento en conjeturas.
>
> MARK TWAIN

Los que creen en la ley de la atracción citan frecuentemente la física, la biología molecular, la neurología y otras complejas disciplinas como prueba palpable de que sólo con nuestros pensamientos podemos producir resultados específicos. *El secreto* explica que la física cuántica «nos dice que ¡el Universo entero ha surgido de un pensamiento!», y por consiguiente nuestros pensamientos tienen un poder cósmico. Eso no es cierto, según los físicos cuánticos, incluidos los que aparecen tanto en *El secreto* como en *¿¡Y tú qué sabes!?*, la película relacionada con él.

Por ejemplo, el físico Fred Alan Wolf, que aparece en ambos filmes, afirma que gran parte de lo que dijo cuando fue entrevistado para *El secreto* se eliminó en la sala de montaje. «Se abrió la base científica y sólo apareció una idea simplificada, poco más que un publirreportaje. Me quedé consternado porque tenía muchas cosas interesantes que aportar, pero yo no dije que la ley de la atracción está basada en la física. No hay absolutamente nada en la física que diga que sólo porque tú desees algo lo atraerás a tu vida.»

De hecho, Wolf escribe justo lo contrario en la sección actualizada de su libro *Taking the quantum leap*: «La mecánica cuántica *parece señalar los límites del poder humano*. Éstos hacen referencia a nuestro conocimiento y nuestra capacidad de adquirir conocimiento». Un poco más adelante prosigue: «En efecto, si la gente se concienciara de que es imposible tener poder sobre otro ser humano gracias a la física cuántica, el mundo sería un lugar diferente». Y añade: «Así nos tornamos indefensos, nos sentimos incompetentes y *anhelamos el orden que somos incapaces de crear en el universo. Lo único que podemos hacer es seguirlo*». (La cursiva es de la autora.)

David Z. Albert, director de Fundamentos Filosóficos de la Física en la Universidad de Columbia y autor de *Quantum Mechanics and experience* y *Time and chance*, ambos mencionados en *¿¡Y tú qué sabes!?*, ha asegurado en artículos periodísticos que sus palabras fueron editadas de modo que pareciera que él creía en la ley de la atracción. Él no cree en ella. En el número de *Salon*, del 16 de septiembre de 2004 (dir. salon.com/story/ent/feature/2004/09/16/bleep/index_np.html), Albert declaró de manera categórica que el pensamiento positivo no altera la estructura del mundo que nos rodea.

No estoy en absoluto de acuerdo, por descontado, con los intentos de relacionar la mecánica cuántica con la consciencia. Es más, ya se lo expliqué a los productores del documental con gran detalle delante de las cámaras... Si hubiera sabido que mis declaraciones se iban a tergiversar de una manera tan radical en la película, no habría aceptado que me filmaran.

Con todo, dejando aparte la física, es cierto que nosotros creamos nuestra realidad en el sentido de que utilizamos la mente para inventar, soñar y después actuar. Pero esto es muy diferente de la idea según la cual podemos alterar el orden del universo o mover objetos con nuestro pensamiento. Por ejemplo, si cedemos a la tentación de dar un puñetazo al jefe de Recursos Humanos durante una entrevista, nosotros «creamos la realidad» de no conseguir el trabajo, y hasta de ir a la cárcel por agresión. Incluso en el caso de que no nos dejemos llevar por ese impulso, si nuestra ira resulta evidente para la chica de Recursos Humanos, podríamos quedarnos sin el trabajo. En cambio, si le escondemos nuestros sentimientos, hay muchas posibilidades de que lo consigamos si estamos debidamente cualificados.

Supongamos que un compositor viaja en tren de Nueva York a Boston con Amtrak. El traqueteo le inspira una melodía, y apunta unas cuantas frases o notas en el revés de un sobre. De vuelta en casa, interpreta la melodía al piano, haciendo más anotaciones en el papel pautado. Después entrega la canción a sus músicos, que graban la melodía y la interpretan en un concierto, evidentemente. El pensamiento original del compositor ha creado música que cobra forma en una partitura, en un CD, y como sonido en el aire. Esta música provoca nuevos pensamientos en quienes la recuerdan, y quizá les inspire para crear algo en sus propias vidas. Éste es el resultado de actuar basándonos en la imaginación.

Pero Byrne y otros seguidores de la ley de la atracción no hablan de esto. Ellos dicen que cuando piensas en algo, el pensamiento se envía al universo y altera el estado del mundo sin que se requiera ninguna otra medida por tu parte. Eso significa que las notas que están en la mente del compositor podrían escucharse como una unidad completamente formada en la radio al día siguiente de haberlas pensado. Algo que podría ocurrir, por supuesto, si con el traqueteo del tren sobre las vías el compositor *recordara* una canción que *ya estuviera grabada*. Si un seguidor de *El secreto* la escuchara al día siguiente diría ¡ajá!, el compositor «provocó» que el *disc jockey* pusiera esa canción. No es una coincidencia; no es una probabilidad. Es la ley de la atracción.

En realidad, la psicología tiene un nombre para este punto de vista de los creyentes que considera la coincidencia como una prueba de sus convicciones. Se llama «sesgo de confirmación», también conocido como pensamiento selectivo, que se puede definir como la inclinación a buscar y fijarse en aquellos acontecimientos que confirman las propias creencias y, al mismo tiempo, ignorar, minusvalorar o evitar las pruebas que las contradicen.

Entonces, ¿cómo la ciencia seria llegó a inmiscuirse en este lío de la Nueva Era? «Los oradores motivacionales se apropian deliberadamente de la física cuántica porque ven en ello una oportunidad para llevar adelante sus planes», dice Fred Allan Wolf. La ciencia tiene cierto aire de verdad irrefutable. Es difícil discutir con datos que parecen empíricos (incluso cuando se interpretan de manera incorrecta), especialmente cuando los hallazgos asombrosos sobre la física, el cerebro y la biología se suceden a gran velocidad.

Aun así, se han descubierto tantas incógnitas nuevas como nuevos conocimientos. Las incógnitas abren la puerta a muchos «quizá», que los defensores de la ley de la atracción encuentran muy atrayentes. Incluso Ellen Langer, psicóloga de Harvard, se sorprende cuando le comento que algunos físicos, por ejemplo, rechazan la idea de que «los pensamientos se convierten en objetos». «Las mentes privilegiadas deberían ser fieles a sus disciplinas y decir "¿quién sabe?"», comenta. El problema estriba, sin embargo, en que una vez el «¿quién sabe?» se incorpora al lenguaje corriente, es muy fácil transformarlo en «podría ser cierto» e incluso «probablemente *no* es cierto» se podría transformar en «*es* verdad».

Física para torpes

El atractivo de la física para el mundo espiritual como una manera de explicar la ley de la atracción y otras ideas místicas es triple. En primer lugar, existe un acalorado debate entre los físicos acerca de si su disciplina puede explicar la conciencia humana y la realidad. En segundo término, los conceptos y el lenguaje de la física son al mismo tiempo inescrutables y muy seductores y, por lo tanto, fácilmente malinterpretados, malentendidos y mal empleados por todo tipo de personas, incluidos los físicos. «Cuando escribimos para el gran público hemos de simplificar demasiado. Tenemos que usar metáforas, y el público profano en la materia no se da cuenta de que se trata de analogías pensadas para transmitir una pequeña fracción del concepto en que te basas. La popularización lleva a una mala interpretación», se lamenta Alan Sokal, físico de la Universidad de Nueva York.

El uso generalizado de la física cuántica para demostrar la existencia de fenómenos sobrenaturales es el resultado directo de la trayectoria que ha seguido la ciencia desde el laboratorio hasta los departamentos de humanidades de las universidades y, desde allí, a las manos de intérpretes espirituales y profanos que se dirigen al gran público. Éstos, según muchos físicos, no tienen ni la más remota idea de lo que explican, por lo menos en lo que a ciencia se refiere. Por ejemplo, la premisa básica de la ley de la atracción —lo semejante atrae a lo semejante y los pensamientos son fuerzas magnéticas que atraen pensamientos que están en una frecuencia similar— no está completamente respaldada por la ciencia, que nos dice que las cargas eléctricas de igual signo se repelen y las cargas eléctricas de signos opuestos se atraen. Los imanes se repelen. En otras palabras, *los contrarios se atraen*. El prolífico físico Victor J. Stenger quedó tan preocupado por la tendencia de la Nueva Era de sacar el término «cuántico» fuera de su contexto científico original que escribió un libro, sobre su mala utilización, llamado *The unconscious quantum: Metaphysics in modern physics and cosmology* (1995). En él hace una evolución crítica de las modas metafísicas, del estilo de *El secreto*, y sostiene que las nociones místicas dicen más sobre nuestra necesidad fundamental de creer que sobre la estructura elemental del universo.

EL ENIGMA DE LA CONCIENCIA

«En parte, es culpa mía —responde Fred Alan Wolf, participante en *El secreto* y físico— y también de Gary Zukav y Fritjof Capra», cuando se le pregunta por qué el mundo espiritual se ha apropiado de la ciencia y en concreto de la física cuántica. Fred se refiere a su libro *Taking the quantum leap* (1981) y a los de los otros dos físicos, que ahondan en la relación entre la física cuántica, la conciencia, la religión y la mística.

Danza de los maestros de Wu Li (1979), de Zukav, y *El Tao de la física* (1975), de Capra, tuvieron un gran éxito de ventas entre el gran público cuando se publicaron y dieron paso a la tendencia popular actual que conecta la física cuántica con el modo en que la mente «construye» la realidad (todo está en tu cabeza) y las religiones orientales. En la última edición de su libro *Taking the quantum leap*, ganador del National Book Award, Wolf escribe: «Es el principio de una nueva era del conocimiento, la era de la conciencia cuántica, la era del átomo consciente».

Durante décadas han existido desacuerdos sobre la conciencia y su relación con la física cuántica. Robert B. Griffiths, profesor de física en la Carnegie Mellon University de Pittsburg, Pensilvania, dice: «Desde fuera se tiene la percepción general de que todos los científicos están de acuerdo, pero desde dentro ves que hay desavenencias y, dependiendo del tema, éstas pueden ser grandes o pequeñas». El debate sobre la conciencia no es el único abierto en el campo de la física, también se está cuestionando con fuerza la validez de la teoría de las cuerdas. «Indiscutiblemente hay aspectos de la física que llevan ochenta años creando confusión en la comunidad científica –añade Griffiths– y considerando estos puntos poco claros, es muy tentador pensar que si un físico no entiende bien algo, entonces uno puede decir lo que quiera y todo vale.»

El profesor Griffiths, autor de *Consistent quantum theory* (2003), no cree que la mecánica cuántica pueda decirnos algo sobre la conciencia. «Sin embargo –explica–, hay científicos serios, Roger Penrose entre ellos, que aseguran lo contrario. Los que no estamos de acuerdo pensamos que éste no ha presentado una argumentación convincente y que existen buenas razones en la parte contraria.»

Griffiths se refiere a las ideas de Penrose esbozadas en *La nueva mente del emperador* (1989) y *Las som-*

bras de la mente: Hacia una comprensión científica de la consciencia (1994). En estos libros, Penrose supone que la mecánica cuántica juega un papel a la hora de entender la conciencia humana. La explicación está en que los microtubos que hay dentro de las neuronas, los componentes estructurales que se encuentran en las células involucradas en muchos procesos celulares –mucha atención ahora, por favor–, son parte del soporte físico que el cerebro utiliza para realizar cálculos cuánticos, cálculos que no pueden realizar los ordenadores.

Lee Spector, profesor de Informática en la School of Cognitive Science en Hampshire College, y una de las autoridades más respetadas del país en inteligencia artificial, opina que Penrose es un hombre brillante que ha realizado importantes contribuciones en matemáticas y física, pero que comete algunos errores cuando se trata de ciencia cognitiva, inteligencia artificial y ordenadores. «Penrose tiene toda la razón en cuanto a lo que no pueden hacer los ordenadores digitales. Hay problemas imposibles de calcular, como el de la detención (*halting problem*, en inglés), según el cual es imposible crear un programa que pueda predecir siempre con exactitud cuándo se detendrá otro programa informático, cuándo se quedará atascado en un bucle o si seguirá funcionando hasta el infinito.»

174

Penrose dedica mucho tiempo al significado del problema de la detención y, según Spector (y otros), intenta hacer creer a la gente que puesto que los seres humanos son capaces de resolver problemas imposibles para los ordenadores digitales, entonces la conciencia debe tener alguna relación con la mecánica cuántica. «Éste es un error fundamental; es falsa la suposición de que los seres humanos pueden resolver problemas que los ordenadores son incapaces de resolver –dice Spector–. Pero si estás de acuerdo con él en que un matemático puede resolver problemas incalculables, entonces necesitas de la magia para explicarlo, así pues Penrose echó mano de la mecánica cuántica porque parece mágica.»

El mundialmente conocido matemático Stephen Hawking mantiene la misma discrepancia con Penrose, una postura que describió en un libro escrito y publicado por el propio Penrose. En *Lo grande, lo pequeño y la mente humana* (1997), Hawking resume sus discrepancias:

Roger cree que la conciencia es algo particular de los seres vivos y que ésta no podría ser simulada en un ordenador. Él no explicó cómo la reducción objetiva podría representar la conciencia. Su razonamiento parece ser, más bien, que como ésta y la gravedad cuántica son un misterio pues ambas deben de estar relacionadas. Per-

175

sonalmente, me incomoda un poco que la gente, los físicos teóricos en particular, hablen de la conciencia.

«Henry Stapp, de Berkeley, también está muy equivocado, a pesar de ser un hombre muy serio», dice Griffiths. Stapp cree en algo llamado «colapso cuántico», a veces también bautizado como «interpretación espiritual» de la física. Según esto, la observación de los experimentos cuánticos por parte de un espectador consciente es responsable del colapso de la función de onda, otro concepto cuya existencia también resulta controvertida. Está relacionado con la idea decimonónica del Nuevo Pensamiento de que todo está conectado con el universo y de que no podemos permanecer separados de lo que ocurre en el mundo y en el universo. Una idea en línea con la filosofía oriental y que podría llevar a algunos a considerar que los pensamientos crean cosas.

La postura de Stapp sobre la relación de la física cuántica con la realidad, la mente y la conciencia, queda reflejada más claramente en las siguientes citas de su artículo «Why classical mechanics cannot naturally acomodate consciousness but quantum mechanics can» (psyche.cs.monash.edu.au/v2/psyche-2-05-stapp.html). Los partidarios de la ley de la atracción utilizan y reinterpretan esta clase de razonamiento como prueba de que nuestros pensamientos crean la realidad; por consiguiente, crean objetos. (La cursiva es de la autora.)

El cuerpo físico de la persona y el mundo circundante están representados por sistemas de disparos neurales en el cerebro; estos sistemas contienen información sobre el posicionamiento del cuerpo en su entorno y están representados en el contexto de plantillas neurales de acción inmediata. *El esquema cuerpo-mundo tiene una extensión que representa opiniones y otras estructuras con forma de ideas.*

No hay nada dentro de la física clásica que preste apoyo a estos dos niveles o cualidades de la existencia o el ser, uno perteneciente a entidades locales persistentes que evolucionan según leyes matemáticas locales, y otro perteneciente a repentinos nacimientos, a un nivel o cualidad de existencia diferentes, de entidades que son totalidades unidas cuyos componentes son las entidades locales de la realidad del nivel inferior. *Con todo, esto es exactamente lo que prevé la mecánica cuántica, que de ese modo proporciona una estructura lógica perfectamente adecuada para describir los dos aspectos interrelacionados del sistema mente-cuerpo.*

Lee Spector coincide con Griffiths en que esta lógica es errónea. «En mecánica cuántica, la observación u observabilidad sí que altera de alguna manera los resultados experimentales», dice, refiriéndose al desconcertante fenómeno según el cual la observación de un experimento (a escala atómica) por parte del científico modifica las cosas. Sin embargo, se hace una interpretación equívoca del mismo al querer reflejar que la *conciencia humana* puede alterar los resultados en aspectos de la vida fuera del laboratorio. «Existe un gran debate desde la década de los veinte sobre el modo en que la conciencia afecta a un experimento, y hay algo de verdad en ello, pero no es aplicable al mundo macroscópico (el nuestro)», dice Spector. Fred Alan Wolf opina lo mismo sobre los físicos en *Taking the quantum leap*: «Ahora, gran parte de lo que observamos no se ve alterado o afectado en lo más mínimo».

Spector utiliza un sencillo ejemplo para ilustrar su punto de vista. «No se puede influir sobre de qué lado caerá una moneda tirada al aire de manera aleatoria por pensar en ello u observarla mientras cae. La observación en física cuántica es un dato interesante, pero no significa que por tener determinados pensamientos se pueda conseguir que ocurran ciertas cosas, incluso a nivel microscópico. De todos modos, ni siquiera en los experimentos cuánticos se puede alterar o controlar el resultado, *para que sea el que tú quieres*, observándolo o siendo consciente de él.» (La cursiva es de la autora.)

Byrne menciona de pasada los pensamientos de «grandes mentes» de personajes de todo tipo, desde el industrial Andrew Carnegie hasta William Shakespeare o el líder espiritual indio Krishnamurti, y los compara con el funcionamiento de la física cuántica. Carnegie y Shakespeare no parecen tener una conexión directa con la física (para más información sobre ambos véase la parte III), pero en el caso de Krishnamurti sí parece haberla. Y es esa conexión, que ninguno de los físicos con los que hablé mencionó, la que podría explicar por qué los fieles de la ley de la atracción se aferran con tanta fuerza a la noción de que la física cuántica la hace posible. David Bohm, a quien no se nombra en *El secreto*, fue un físico cuántico estadounidense que realizó numerosas contribuciones a la teoría cuántica, la filosofía de la física e, indirectamente, al proyecto Manhattan, el desarrollo de la bomba atómica. Bohm también estuvo involucrado en actividades políticas radicales y comunistas. De todos modos, Bohm descubrió uno de los libros del filósofo indio en 1959, y encontró similitudes con sus ideas sobre la mecánica cuántica. Ambos llegaron incluso a conocerse y se hicieron amigos.

«Bohm es un personaje interesante –dice Alan Sokal–. Existen tres Bohms en realidad. Durante su primera época, hasta 1951, se ocupó de la mecánica cuántica ortodoxa. Después, en 1952 escribió un artículo extremadamente interesante y herético en *Physical Review* que proponía una novedosa interpretación al presentar la mecánica cuántica más parecida a la física tradicional. Durante mucho tiempo las ideas de su artículo no fueron tomadas en serio, pero ahora comienzan a debatirse. Luego, a una edad más avanzada, se convirtió en una persona más sensible a los postulados de la Nueva Era y se mostró receptivo a diversos tipos de espiritualidad, como reflejan los libros de su última etapa. Sin embargo, los miembros del movimiento Nueva Era seguramente no conocen sus primeros trabajos, de los cuales él nunca renegó. Es más, pensaba que continuaba su trabajo de 1952.»

En realidad, un pasaje del libro de Bohm, *Thought as a system*, podría explicar por qué las personas espirituales creen que la física cuántica es una parte tan importante de la validez de la ley de la atracción.

Lo que quiero expresar con «pensamiento» es un todo: el pensamiento, «lo sentido», el cuerpo, la sociedad entera que comparte los pensamientos. Todo es un proceso único. Para mí es esencial no separarlo porque todo eso es un único proceso; los pensamientos de otra persona se convierten en mis pensamientos y viceversa. Por lo tanto, sería erróneo y engañoso separarlo en mis pensamientos, tus pensamientos, mis sentimientos, estos sentimientos, aquellos sentimientos... Yo diría que el pensamiento forma lo que a menudo se denomina en lenguaje moderno un sistema. Un sistema quiere decir un conjunto de cosas o partes conectadas. Pero tal como la gente utiliza normalmente la palabra hoy en día, ésta viene a significar algo en el que todas sus partes son mutuamente interdependientes, no sólo para su acción mutua, sino para su significado y para su existencia... De esta manera, el pensamiento está creando problemas constantemente y luego trata de resolverlos. Pero al hacerlo sólo empeora las cosas porque no percibe que está creando los problemas, y cuanto más piensa más problemas crea.

En efecto las ideas de los físicos y las discrepancias entre los científicos son mucho mayores y más complicadas de lo que he expuesto aquí, pero incluso esos físicos parecen estar de acuerdo en que la ciencia, incluidas las interpretaciones que ha hecho Bohm hasta ahora, no indica que podamos hacer aparecer coches, dinero, joyas, novias sexys o maridos macizos simplemente con pensar en ello.

LAS PALABRAS SON COSAS

La primera frase de *Danza de los maestros de Wu Li*, el popular libro de Gary Zukav, explica en gran parte por qué la física cuántica es un argumento atractivo que utiliza el mundo espiritual para defender sus posiciones en el tema de la atracción: «Cuando les digo a mis amigos que estudio física, niegan con la cabeza, sacuden las manos y sueltan un "¡uf, qué difícil!"». Demasiado difícil para que un profano pueda debatir sobre ella y, por lo tanto, más fácil de aceptar por su parte o de malinterpretarla de un modo colosal.

Robert Griffiths observa que «incluso los galardonados con el premio Nobel (de física) reconocen que existen aspectos de la mecánica cuántica que no comprenden. La afirmación más categórica es de Richard Feynman, al decir que nadie la entiende, y hay que tomárselo muy en serio». Feynman, que murió en 1998, fue un físico estadounidense ganador del premio Nobel que desarrolló una nueva manera de comprender el comportamiento de las partículas subatómicas, entre otras cosas. También colaboró en el desarrollo de la bomba atómica.

Fred Alan Wolf lleva toda su vida profesional intentando abordar el problema de comunicación entre científicos y profanos. «Hay gente que no tiene ni idea de lo que es la ciencia, que está completamente alejada de los científicos y que ahora se ha puesto a parlotear porque la ciencia habla con un lenguaje que ellos no pueden entender. Cuando escuchan a alguien que está mucho más allá de su nivel de comprensión, su propio lenguaje (y comprensión) se rompe.»

Tanto la naturaleza de la física, contraria a la intuición y dispuesta a saltarse todas las normas, como la de las teorías cuánticas, que tienen un aire misterioso para el lector medio, tiene su atractivo para el mundo místico. Barry Sanders, profesor de Ciencia de la información cuántica en la Universidad de Calgary, cree que proviene de la paradoja de la medición que no permite a los físicos obtener datos de manera consistente. «En la ciencia estás acostumbrado a llevar a cabo experimentos para conseguir resultados mesurables. En el caso de la física cuántica no somos capaces de incorporar mediciones y eso es lo que entusiasma a las personas (que no son físicos).

»Los universitarios de primer curso que pasan por mi clase antes de comenzar sus estudios en la facultad de medicina no hacen preguntas acerca de la física y la espiritualidad; pero la historia es bien diferente cuando doy una conferencia sobre el tema al público en general.» Sanders describe una en la cervecería Big Rock, de Calgary, que fue especialmente divertida, ya que el pago se realizó en cerveza. «Había unas cien personas allí blandiendo artículos sobre física cuántica y espiritualidad. Los deepak chopras del mundo toman ideas de la física cuántica y las trasladan a la esfera espiritual, pero yo, como científico empedernido que soy, no hago eso. Sin embargo, soy capaz de ver lo intensa que es la inspiración de la física cuántica. Los profanos en la materia se quedan intrigados con las palabras que empleamos para describir la mecánica cuántica, por ejemplo "energía vibradora". Son palabras preciosas», dice Sanders, fáciles de reinterpretar como algo místico. «Si se leen traducciones de libros taoístas chinos uno piensa que *chi* es energía, y entonces el intérprete se da cuenta de que la física también habla de la energía. Las leyes que nosotros apuntamos no tienen nada que ver con el concepto *chi* de la energía, pero es en este punto en el que se establecen algunas de las conexiones», añade Sanders.

Griffiths dice que él también tiene dudas acerca de parte del lenguaje que se utiliza en su propia especialidad, la información cuántica. «Por ejemplo, la "teleportación" se interpreta como un medio mágico de trasladar cosas de un sitio a otro, cuando no se trata de eso. La elección inicial de la palabra hace que parezca algo espectacular y, aunque sin duda es interesante, es fácil tergiversarlo.»

Lee Spector explica que cuando dicta cursos, el lenguaje que utiliza puede hacerle parecer un místico, especialmente cuando trata los algoritmos de Peter Shor para cuantificar el factor de números extremadamente grandes. «Decimos que partes de un cálculo de gran tamaño se realizan en "universos diferentes", y cuando ejecutamos el algoritmo "dividimos el ordenador en muchas versiones diferentes de él mismo" que "operan en diferentes universos paralelos" y luego hacemos que vuelvan y "se comuniquen en nuestro universo". Hay físicos que se lo toman de un modo literal. Pero puede que si se pudiera observar la operación, ésta ocurriese en un solo universo.»

Griffiths dice que es decepcionante que se distorsione el significado de la física por culpa del lenguaje. «Pero en todas las épocas la cultura popular ha empleado mal la cuestión técnica», dice. Como ejemplo, Griffiths señala que los descubrimientos de Darwin se trasformaron en darwinismo social, y crearon y propiciaron, entre otras cosas, una justificación para que los patrones oprimieran a sus trabajadores. «Así pues, a lo largo de la historia siempre se ha hecho un uso incorrecto de los conceptos, por eso no nos debería escandalizar tanto, aunque sí debería combatirse cuando sucede», dice Griffiths.

CHARLATANERÍA CUÁNTICA

El término «charlatanería cuántica» se acuñó para criticar la moda de los académicos que no son científicos sino que se sitúan principalmente en el terreno de las humanidades, al utilizar teorías de mecánica cuántica que no entienden para darle apariencia científica a cualquier afirmación que se les ocurra, desde la política, la discriminación sexual o, incluso, acerca de la ley de la atracción. Alan Sokal, profesor de Física en la Universidad de Nueva York, puso a prueba la charlatanería cuántica. Resulta crucial conocer el denominado caso Sokal para comprender las reivindicaciones científicas relacionadas con *El secreto*.

En 1996, el profesor Sokal envió un ensayo titulado *Transgressing the boundaries: Towards a transformative hermeneutics of quantum gravity* a la publicación de estudios culturales posmodernos *Social Text*, una revista más popular entre mis compañeros que la revista *People* cuando estudiaba en la escuela de posgrado de Columbia en la década de los ochenta. En aquella época, los artículos que aparecían en *Social Text* no eran evaluados por otros expertos en la materia para comprobar su exactitud antes de ser aceptados para su publicación, lo que sí solía hacerse en publicaciones científicas y de otros tipos de estudios académicos. De todos modos, el artículo era un engaño lleno de jerga posmoderna, teorías pseudocientíficas y un sesgo de extrema izquierda que Sokal sabía que la revista encontraría muy atractivo.

Su objetivo era averiguar si *Social Text* publicaría el artículo, que estaba «generosamente salpicado de disparates, si (a) sonaba bien y (b) halagaba las ideas preconcebidas de los editores». Su objetivo se cumplió. Apareció en un número dedicado a las «guerras científicas», una discusión entre posmodernistas académicos y pragmáticos sobre la naturaleza de la ciencia. Sokal publicó simultáneamente un artículo en otra revista, *Lingua Franca*, en el que ponía al descubierto lo que había hecho y describía su artículo sobre física cuántica, como un montón de citas absurdas sobre matemáticas y física realizadas por académicos de humanidades. A partir de aquí, el camino que tomó la física cuántica desde los académicos humanistas hasta los oradores inspiracionales de la Nueva Era, fue inevitable. Los dos artículos de Sokal y más detalles sobre su experimento pueden leerse en su página web de la Universidad de Nueva York: www.physics.nyu.edu/faculty/sokal/.

La valoración de la física cuántica que hace el orador inspirador John Demartini es un buen ejemplo de cómo el intento de popularizar conceptos difíciles puede llegar a confundir mucho. En el transcurso de una entrevista me dijo lo siguiente:

En física cuántica, una partícula de quantum o energía podría ser una partícula de luz. A éstas se las denomina rayos gamma o también ondas de radio. Ese pequeño quantum se puede separar en una cámara de Wilson y dividir en positrones y negatrones. Si los unes vuelves a la luz. Quizá la conciencia sea luz cargada de manera incondicional. Tenemos ondas de radio que pueden enviar señales al otro extremo del mundo en la catorceava parte de un segundo. Nuestros pensamientos son información almacenada en ondas cuánticas.

Nuestra conciencia no puede ser nunca positiva sin la parte negativa, pero nuestra conciencia puede pensar que eso es verdad. Podemos separar lo inseparable, pero en realidad no hay nada excepto un suceso cuántico. En física cuántica cada vez que se divide un quantum en dos, las dos partes aún están entrelazadas. Si alteras una, alteras la otra en el acto, lo cual da origen a partículas más rápidas que la luz. Cuando haces esto, las personas (con las que estás entrelazado) se ven afectadas en cualquier parte del mundo. Así estamos unidos a cualquier persona por la que sintamos alguna emoción, y todo lo que veamos en ella se ve representado en una parte de nosotros mismos que negamos. Como ella representa esa parte, al aceptarla se establece una relación cuántica ya que le afecta instantáneamente, dondequiera que se encuentre.

En primer lugar, el físico Fred Alan Wolf comenta que no se puede fraccionar un quantum en unidades más pequeñas. «Demartini se refiere al proceso en que un fotón de luz se puede transformar en un positrón y un electrón, pero eso *no* es una división. El quantum ha cambiado de forma», dice Wolf. Demartini también habla de la idea de entrelazarse tal como se utiliza al referirnos a seres humanos. En física esto se produce cuando los estados cuánticos de dos o más objetos deben describirse haciéndose referencia entre sí, incluso si los objetos individuales están separados espacialmente. «Yo le puedo decir que si nos referimos a personas, el entrelazamiento en el sentido utilizado por los físicos probablemente no sea cierto –dice Wolf–. Por ejemplo, mi mujer y yo estamos muy unidos. A veces podemos estar pensando en lo mismo, pero sólo porque yo piense en algo malo no significa que mi mujer experimentará algo malo. Sólo es un hecho; dos personas que están separadas no pueden influenciarse mutuamente con los pensamientos.»

Alan Sokal utiliza una lógica sencilla para explicar por qué resulta dudoso pensar que la conciencia humana creó el universo: «Durante la mayor parte de la historia del universo los seres humanos no han existido. Así que sería extraño que la conciencia humana hubiera tenido algo que ver con su historia o creación».

El cerebro y su utilización

La idea de que nuestros pensamientos pueden cambiar y moldear los resultados en el mundo exterior necesita una breve argumentación sobre lo que el cerebro es capaz de hacer o no. Es impresionante todo lo que puede realizar; de hecho es tan increíble que uno podría pensar que no hace falta atribuirle otros poderes sobrenaturales. Te propongo realizar una pequeña tarea mientras lees: observa cómo los recientes descubrimientos que describo y los comentarios de los expertos sobre ellos podrían malinterpretarse fácilmente por personas que necesitan creer a toda costa que, según la ciencia, podemos cambiar el mundo únicamente con nuestros pensamientos. Ninguno de los expertos o autores citados en esta sección cree que esto sea cierto.

Los adelantos en la comprensión de la neuroplasticidad, es decir, la capacidad del cerebro de recuperarse estructural o funcionalmente a nivel neuronal tras una lesión o enfermedad, han supuesto grandes progresos en los últimos años. Hace poco se han publicado dos libros sobre este apasionante tema. Uno de ellos es de Sharon Begley, escritora especialista en ciencia para la revista *Newsweek, Train your mind, change your brain: How a new science reveals our extraordinary potential to transform ourselves* (2007), y el otro *The brain than changes itself: Stories of personal triumph from the frontiers of brain science* (2007), de Norman Doidge, miembro de la plantilla de investigación del centro de la Universidad de Columbia para la Formación y la Investigación Psicoanalítica y del departamento de Psiquiatría de la Universidad de Toronto.

Begley se fija en los cambios que ha sufrido la teoría sustentada durante muchos años según la cual las neuronas del cerebro no se regeneran. Su libro describe de manera detallada y accesible una serie de experimentos fiables y llevados a cabo cuidadosamente que muestran cómo cada día se crean neuronas en el cerebro, incluso en el caso de personas de edad avanzada, algo que hasta no hace mucho se consideraba imposible. Con frecuentes incursiones en la filosofía budista, Begley estudia los conocimientos actuales sobre la neuroplasticidad, un punto en el que se fijarán los filósofos metafísicos. También analiza una serie de experimentos con budistas que han pasado más de diez mil horas meditando y demuestran que sería posible entrenar la mente para experimentar mejor emociones como la compasión.

En el libro, Begley describe cómo dieciocho personas practicaron la meditación centrada en la compasión no referencial, es decir, aquélla en la que quien medita se concentra en «una compasión y bondad ilimitada dirigida hacia toda la humanidad». En las personas más experimentadas en meditación, los budistas, las ondas cerebrales gamma se volvieron excepcionalmente potentes. En cambio, en los miembros menos experimentados del grupo, éstas sólo se hicieron un poco más potentes. Las ondas gamma de los budistas remitieron cuando dejaron de meditar y remontaron cuando empezaron de nuevo. Esto llevó a los investigadores a concluir que el pensamiento consciente o concentrado, o el entrenamiento del cerebro, puede «crear un rasgo cerebral duradero». Ajá. ¿Ves cómo surgen ya las malas interpretaciones?

«Repito la advertencia de que sólo sé de *El secreto* lo que he leído en *Newsweek* sobre el tema –dice Begley– y según lo que yo entiendo, el libro dice que puedes influir en las cosas del mundo externo por medio de tus pensamientos pero no hay un mecanismo físico plausible que lo provoque. Por tanto, no existen cosas en común entre ese concepto y la neuroplasticidad, que se fija en los patrones de los pensamientos y las experiencias que llegan al cerebro a través de los órganos sensoriales y que pueden volver a actuar en el cerebro que los recibió. No hay nada aterrador en ello.»

Un aspecto interesante de lo que llamamos la mente, explica Begley, es que los productos del cerebro pueden volver a actuar en las cosas físicas que los produjeron con efectos que van desde patrones de actividad hasta cambios estructurales. Aunque todo esto se basa en una física muy convencional, lo cierto es que estos descubrimientos tienen una relevancia médica real. «En algunos tipos de trastornos mentales, como la depresión, el derrame cerebral y el trastorno obsesivo compulsivo, algo falla en el cerebro.

Las personas que han sufrido un derrame cerebral pueden expandir las áreas sanas de sus cerebros para que se encarguen de nuevas tareas previamente realizadas por las zonas dañadas. En el caso del trastorno obsesivo compulsivo el mayor problema es el exceso de ansiedad; el pensar permanentemente que algo va mal. Según Begley, los experimentos desarrollados en la Universidad de Los Ángeles, California (UCLA), han demostrado que la meditación consciente puede reducir la actividad en el circuito del cerebro que controla la ansiedad, de la misma manera que lo hacen los antidepresivos de segunda generación (como el Prozac).»

También afirma que parte de la efectividad de la meditación consciente tiene que ver con poder pensar en uno mismo en tercera persona. En el paciente con trastorno obsesivo compulsivo, la ansiedad y el miedo que les produce el pensamiento «me he dejado el horno encendido» puede trastornarles el día entero. Por suerte, se puede adiestrar su cerebro para que juzgue ese pensamiento como un «mensaje de error» que no tiene nada que ver con la realidad y decir: «Vaya, ya está hablando otra vez mi trastorno». Con la práctica, quienes los sufren son capaces de reducir la actividad cerebral relacionada con la ansiedad de una manera terapéutica. «Se podría localizar el modo en que los pensamientos se manifiestan a nivel de actividad eléctrica en el cerebro, y en este caso se trata de volver a actuar sobre la actividad del circuito que controla la preocupación para interceptarlo», explica Begley.

Nada de esto, sin embargo, tiene aplicación alguna sobre el modo en que los pensamientos y los sentimientos pueden actuar fuera del cerebro, continúa. «El pensamiento positivo sí que es capaz de afectar a las ideas sobre la capacidad personal, pero no cuando se trata de cambiar literalmente el movimiento de las mareas en la tierra. Los pensamientos, nuestros cerebros, no pueden hacer eso», dice ella.

Los recientes descubrimientos sobre la evolución del cerebro tienen muchas implicaciones para la gente sana, explica Norman Doidge. «En ciertos aspectos, el cerebro funciona como un músculo en el sentido de que responde al ejercicio y, con el entrenamiento apropiado, podemos conservar o desarrollarlo, e incluso fortalecer zonas debilitadas que no creíamos que podríamos recuperar.»

También existen pruebas médicas que sugieren que un alto grado de estrés es muy dañino para el cerebro y la salud. Es importante destacar que nos referimos al estrés de una experiencia traumática, no a pensamientos «negativos», sino a recuerdos dolorosos o aterradores. Una investigación llevada a cabo por J. Douglas Bremner, profesor adjunto de Psiquiatría y radiología en la facultad de Medicina de Emory y autor de *Does stress damage the brain?*, ha identificado el modo en que el estrés psicológico grave puede afectar la estructura y el funcionamiento del cerebro.

«Aproximadamente un 15 % de las personas expuestas a un trauma desarrollarán un trastorno de estrés postraumático, que no se producirá en el 85 % restante», subraya Bremner. Según su opinión, las personas que han sufrido un trauma son generalmente optimistas, por lo tanto los investigadores intentan medir la resistencia y los mecanismos que controlan esta capacidad de enfrentarse y adaptarse a las dificultades para ver cómo se pueden aplicar (o enseñar) estos mecanismos a ese otro 15 %. Se han identificado factores o rasgos comunes al 85 % de personas que saben afrontar los traumas: el altruismo, pensar en los demás y preocuparse por ellos, y el sentimiento de que tienen un significado y un propósito en la vida. «Por ejemplo, los prisioneros de guerra en Vietnam que, por naturaleza, pensaban que su país era una potencia superior y los que creían en la justicia soportaron la experiencia mejor que quienes no tenían esas convicciones», dice Bremner.

Uno de esos hombres describió cómo, durante su cautividad, solía visualizar una pirámide con Dios, la patria y la familia en la cúspide, y esto le ayudó a sobrevivir sin sufrir ese trastorno. El valor de aplicación que tiene es comprender cómo piensan las personas fuertes, dice Bremner, es que la exploración de sus cerebros puede orientar a los científicos acerca de la manera en que las que no tienen esa resistencia pueden aprender a reconvertir sus cerebros para enfrentarse a los malos recuerdos o para verlos con cierta perspectiva, y eso va más allá del mero pensamiento positivo.

Norman Doidge lo explica de la siguiente manera: «Piensa en el veterano de la guerra de Vietnam que oye el petardeo de un coche y cree que está otra vez allí, oyendo disparos de rifle. En el tratamiento no "eliminamos" los recuerdos sino que convertimos la experiencia traumática, que parece encerrada en un eterno presente, en recuerdos reales y así esa persona podrá decir: "Aquello ya terminó. Por fin puedo estar tranquilo".»

La verdadera biología de la fe

La idea de que el pensamiento mágico podría formar parte de la química o de la estructura del cerebro que tenemos implantada para nuestra supervivencia nos resulta muy útil para explicar la predisposición general de la gente a creer en fenómenos sobrenaturales y «poderes superiores». Phillips Stevens Junior, profesor de Antropología de la Universidad SUNY, en Búfalo, comenta que no es extraño que tanta gente, desde personas con estudios que viven en países tecnológicamente avanzados, hasta los habitantes de zonas pobres del mundo, crea en los poderes mágicos del pensamiento positivo.

«La primera vez que me tropecé con este optimismo irracional fue a comienzos de la década de los sesenta cuando trabajaba como profesor de secundaria en una misión pacificadora en Nigeria –me contaba en un correo electrónico–. Me encontré con varios casos frustrantes en los que estudiantes con fracaso escolar se negaban a admitir su situación. Incluso en aquellos años, los alumnos que acababan con éxito sus estudios debían enfrentarse a dificultades enormes e insuperables. Todos conocían las desalentadoras estadísticas. Miles de graduados salían cada año de escuelas y universidades, pero pocos iban a encontrar empleo en el sector moderno. No obstante, todos los alumnos que terminaban sus estudios hacían pública de manera reflexiva una afirmación del tipo: "Tendré éxito" o "Dios proveerá". Se trata del pensamiento mágico derivado de un sentimiento humano general según el cual las personas están interconectadas con el universo, y sus pensamientos y acciones tienen una influencia directa sobre su entorno y su futuro.»

197

La adaptación de esta creencia tiene una inestimable ventaja práctica, dice Stevens. «La gente conoce los datos y las probabilidades, y sabe que es posible que la magia no funcione, pero que al mismo tiempo es fácil y barata, y a veces sí funciona; y el consuelo es un antídoto contra la tristeza y el pensamiento negativo que sólo conseguirá poner las cosas peor de lo que están.»

Así pues el secreto de *El secreto*, sugiere Stevens, que ha publicado numerosos artículos especializados sobre la antropología del pensamiento mágico, «es nuestra intrínseca condición humana. Podría provenir de la biología y la psicología evolutivas». En cuanto a la popularidad del pensamiento mágico en la sociedad occidental, Stevens dice que éste resulta atractivo porque proporciona a las personas un sentido de control y superioridad en un mundo cada vez más confuso e impersonal.

En su artículo «The magical thinking in complementary and alternative medicine», publicado en el número de noviembre de 2001 de *Skeptical Inquirer*, Stevens resaltó cinco creencias comunes a todas las formas de pensamiento mágico que se pueden encontrar incluso remontándonos hasta tiempos prehistóricos, ya se trate de la ley de la atracción, el pensamiento positivo o la fe en objetos o colores concretos. Estas cinco creencias se basan en las fuerzas de la naturaleza, la energía y el poder místico, interconectados con el universo, el poder de los símbolos y las palabras, y la causalidad. «Todo ello forma parte de la manera de pensar de la mente humana, la cual es un proceso biológico. En ese sentido, el pensamiento mágico tiene su lógica», me dijo Stevens. En otras palabras, si no creyéramos en algo superior a nosotros, sería difícil encontrarle sentido a la vida. Pero eso no convierte en verdaderas tales creencias.

Buscad y encontraréis

La ciencia, al parecer, no dice que los pensamientos pueden alteran el mundo exterior a nuestro cerebro y nuestras percepciones, ni que podamos atraer objetos con ellos. La respuesta que dan algunos creyentes a estas afirmaciones es a menudo una sonrisa de complicidad o de satisfacción por la información privilegiada y el entendimiento que poseen y que da a entender: «Los científicos que están en desacuerdo con nosotros simplemente tienen miedo. Luchan contra un hecho que les asusta y que no pueden admitir por culpa de sus propios prejuicios. Nuestro conocimiento es superior».

No resulta fácil luchar contra una confianza tan inquebrantable, pero no todos los creyentes adoptan esta actitud de «no hay discusión posible». En efecto, algunos consideran la ciencia y la física como una metáfora de la ley de la atracción y no como una prueba real (aunque la mayoría de los creyentes con los que he hablado dicen que la física ofrece pruebas concluyentes). Puede que digan cosas como: «La gente antiguamente pensaba que la tierra era plana, por lo tanto es posible que podamos mover objetos con la mente» o «Nadie creyó a la neurocientífica Candace Beebe Pert cuando descubrió los receptores opiáceos del cerebro, por lo que puede ser que los pensamientos atraigan objetos».

Así pues, por favor, no creas sin más todo lo que digo y lee los trabajos originales de todas las fuentes creíbles que he citado y a las que me he referido en este capítulo, así como otras de personas que trabajan en el campo de la ciencia y que aparecen en el apartado de lecturas adicionales al final del libro. Leer obras científicas procedentes de fuentes fidedignas supone un compromiso intelectual; otro motivo por el que muchas personas están más predispuestas a creer en la magia; te ocupa menos tiempo y es mucho más descansado para la mente.

6

LA BIBLIA Y BUDA. LAS RAÍCES RELIGIOSAS
DE *EL SECRETO*

Según Rhonda Byrne, el mensaje de *El secreto* está oculto en las religiones más importantes del mundo: hinduismo, las tradiciones herméticas, budismo, judaísmo, cristianismo e islamismo. La conexión parece tenue y limitada a la idea de que Dios proporciona al hombre todo lo que necesita, algo que para la mayor parte de los teólogos tradicionales se refiere a alimento espiritual y fortaleza para superar las injusticias y las tragedias de la vida. Aunque la mayoría de las grandes religiones no prohíben ni se oponen a que hombres y mujeres busquen el éxito, sí que rechazan contundentemente la idea de que la tranquilidad de espíritu y la felicidad se pueden hallar en los bienes materiales y el dinero. En *God in search of man: A philosophy of Judaism* (1955), el rabino Abraham Joshua Heschel, preeminente teólogo judío del siglo xx, plasmó esta idea con genial perspectiva cuando escribió:

Deslumbrados por los brillantes logros del intelecto en la ciencia y la técnica, no sólo nos hemos convencido de que somos los dueños de la tierra; nos hemos convencido de que nuestras necesidades e intereses son la norma principal a la hora de juzgar lo que está bien y lo que está mal.

La comodidad, los lujos, el éxito alimentan constantemente nuestros apetitos, reduciendo nuestra visión de aquello que es necesario pero no siempre se desea. Hacen que permanezcamos ciegos con facilidad ante los valores morales. Los intereses son el perro lazarillo del hombre que está ciego ante los valores morales, su explorador y su guía.

Aunque el propósito de este capítulo no es hacer un estudio de las religiones del mundo, sí que pretende descubrir si la ley de la atracción se ve amparada en ellas de la manera como se explica en *El secreto*: como un medio para conseguir la felicidad material y lo que se podría definir convencionalmente como éxito material. Por limitaciones de espacio centrará la investigación en el cristianismo, el judaísmo, el budismo y otra religión que Byrne parece haber evitado mencionar casi a propósito, la Ciencia Cristiana, heredera del Nuevo Pensamiento y la doctrina que más sintoniza con *El secreto* y la filosofía de la ley de la atracción.

El profesor de Sociología Darren Sherkat dice que establecer una conexión entre *El secreto* y la religión es una estrategia muy eficaz porque le otorga un sentido de legitimidad. «Para aquellos que están vinculados a una religión concreta, no se trata de un libro que suponga un cambio porque asisten a las reuniones de oración en la iglesia y tienen sus propias librerías y pastores que adaptan el lenguaje del éxito según su confesión. Pero para las personas que no están adscritas a una religión determinada y que normalmente sólo se interesan de manera superficial por las tradiciones, todo aquello que parezca estar presente en las diferentes religiones tiene un atractivo enorme y tranquilizador.»

En lugar de adorar a un poder superior, Dios, Jesucristo o Mahoma, los fieles de *El secreto* adoran su propio poder personal y el del universo. Son muchos los que han visto la película varias veces. En algunos reportajes aparece gente que la ha visto treinta y cinco veces o que han escuchado el CD de *El secreto* cada día, al ir y volver del trabajo, semana tras semana, como si al hacerlo les comunicara el poder de la atracción. Esto se parece mucho a la forma clásica de culto religioso en que se produce con frecuencia la repetición de una oración y el estudio de textos sagrados, como la Biblia o el Corán. Tratar el DVD, el libro y el CD como objetos materiales dotados de poder también tiene algo de fetichista. La palabra «fetiche» deriva del latín *factitious* que significa «hacer o realizar». La mayor parte de los expertos están de acuerdo en que probablemente fue utilizada por primera vez para referirse a ídolos o amuletos hechos a mano a los que se atribuían propiedades mágicas. En el mundo actual, el DVD o CD, redondos y brillantes, y el libro, impecablemente presentado, se convierten en el tótem contemporáneo del creyente.

A Henry Jenkins, profesor de medios de comunicación del Instituto de Tecnología de Massachussets, no le sorprende que la gente vea, lea o escuche *El secreto* varias veces como parte de su devoción o práctica de la ley de la atracción. «En los medios, hay géneros que la gente ve de manera reiterada: gimnasia, pornografía, programas infantiles, así como cristianos o religiosos –dice–. El tipo de obra pensada para ser vista quince veces está estructurada de manera diferente de las que se ve en principio, una sola vez, como una película de ficción. En el primer grupo parece que no has acabado de captarlo todo y tienes que seguir mirando para descubrir lo que te has perdido. Ver algo una y otra vez puede reportar percepciones emocionales y permite al lector (o espectador) comprender y transmitir el importante significado engastado en las palabras (o imágenes).»

Jenkins ha estudiado el modo en que las comunidades religiosas, la cristiana en particular, se han adaptado a la cultura de los fans, y han adoptado lo que él llama «narrativas transmedia», es decir, historias que se difunden a través de múltiples plataformas multimedia, y actividades para los fans que ayudan a formar una comunidad.

Tratar una información repetidamente, meditar y reflexionar sobre ella, así como rezar con ella, es lo que da a la obra, en este caso *El secreto*, un poder bíblico, dice Jenkins. «Mi abuelo sólo fue al colegio hasta tercero de primaria y leyó la Biblia seis veces en su vida, lo que supone un logro increíble en cuanto a capacidad de lectura.» *El secreto* supone una mínima parte del tamaño de la Biblia en cuanto a palabras y significado y, por lo tanto, es mucho más fácil de leer y releer. «El libro no tiene demasiado contenido, pero sus palabras cuentan verdades espirituales que han transformado a mucha gente», comenta. También permite que muchas personas no religiosas, o aquellas que sienten rechazo por la religión organizada puedan encontrar una verdad espiritual sin las restricciones morales que conlleva la fe tradicional.

«Hoy en día abundan cada vez más las obras espirituales que afectan a los no creyentes, por lo que el sentido de conversación religiosa se extiende desde el escenario evangélico hacia un público más amplio que busca algo que le ayude a enfrentarse a la vida

moderna –apunta Jenkins, quien señala la popularidad de *Una vida con propósito*, del predicador evangélico Rick Warren, entre personas que no son de esa
confesión–. Warren es uno de esos escritores que no
esconde la Biblia en su obra, pero son muchos los
no creyentes que consideran que su libro está lleno de
significado; así pues ha encontrado un lenguaje para
hablar desde fuera del cristianismo.»

Aunque la premisa de «pedir, tener fe, recibir» es,
por decirlo así, común a todas las religiones, la interpretación de *El secreto* es muy diferente, pues aquí no
se habla de recibir beneficios tras la muerte, dice el
profesor de sociología Darren E. Sherkat. «En lugar
de eso, *El secreto* habla de cómo conseguir objetos materiales a través de cosas que no son de este mundo.
No aborda cómo los asuntos materiales determina-
rán nuestra vida futura, sino que de lo que se trata es
de obtenerlos en la presente.»

Sherkat reproduce lo que piensa mucha gente en
las comunidades de fe tradicionales cuando dice que
esta situación materialista es peligrosa y rechazada
por la mayor parte de los grupos religiosos estableci-
dos. «Entienden que a largo plazo no tiene sentido
porque sólo unos pocos conseguirán algo, mientras
que la mayoría no logrará nada», explica. Al no alcanzar el éxito y las ventajas que esperan, la religión
se convierte para ellos en algo muy superficial. Sher-

kat explica que si se les prometen bienes materiales a través de la fe, ésta se convierte en algo verificable empíricamente y, por tanto, fácilmente refutable cuando las cosas no salen bien. El peligro estriba en que uno puede perder a sus feligreses cuando éstos se desilusionen con falsas promesas. Garantizar riquezas en la vida futura evidentemente no es algo que se pueda probar o refutar. «Los grupos cristianos exitosos no hacen promesas categóricas», según Sherkat.

La teología del éxito, como la denominó Sherkat, es muy común en los grupos cristianos conservadores, tanto protestantes como católicos, y en particular en muchas congregaciones afroamericanas humildes: «Gran parte de su predicación se dirige a quienes tienen menos posibilidades de éxito, así que puede resultar reconfortante escucharla durante un par de años, pero después se dan cuenta de que siguen siendo ayudantes administrativos mal pagados y todo se vuelve muy superficial, sobre todo cuando han estado pagando a un rico predicador vestido con un traje blanco y que conduce un Rolls Royce. Está muy bien para un director general, pero no tanto para quienes ocupan niveles inferiores o grados medios en la administración y que están a punto de perder su trabajo», dice Sherkat.

Otro problema derivado de la cualidad del todo o

nada que se necesita para creer en la ley de la atracción es el sentimiento de culpa que sobreviene cuando las cosas no suceden tal como se esperaba. «Para una religión establecida es muy peligroso tocar el mundo de lo mágico diciendo a los feligreses que pueden llegar a ser ricos o a curar sus enfermedades», dice Sherkat. El profesor de sociología relata la experiencia que tuvo una conocida suya con un clérigo en una iglesia de la Asamblea de Dios. «Le dijo que su marido había muerto de cáncer porque no tenía suficiente fe. Ella no le creyó porque su marido era una buena persona según todos los cánones de su fe. Es peligroso para un clérigo poner en duda la fe de una persona y socavar los cimientos de esa familia. Se sintieron injuriados, protestaron y, al final, el clérigo fue despedido.» Sin embargo, siguió adelante y fundó otra congregación.

La atracción cristiana

Aunque Byrne acepta otras religiones, se nota un fuerte regusto cristiano en la idea de *El secreto* de pedir, tener fe y recibir, aunque uno puede interpretarlo y adoptarlo al materialismo del mundo moderno occidental. Quedan fuera de él conceptos molestos como el sacrificio, la caridad y la hermandad. Jenkins dice que la generalización del cristianismo, lo que algunos llaman secularización, cumple un objetivo con el que no todos están de acuerdo en el mundo cristiano. «Cuando los artistas de rock cristiano se dirigen a un público más amplio, enmascaran a menudo su mensaje. Algunos lo llaman ampliar el mensaje y otros creen que lo pervierten. Existe un profundo debate sobre el tema dentro del mundo fundamentalista, porque algunos consideran el materialismo de la cultura pop como la antítesis de los valores cristianos.» Por otra parte, dice Jenkins, los cristianos siempre han sido partidarios de adoptar nuevos medios para publicitar sus creencias y la cultura pop les permite utilizarlos para formar a nuevos y jóvenes seguidores de Jesucristo.

A algunos les preocupa la poca importancia que Byrne le concede a la Biblia, algo que podría haber hecho a propósito para, como opina Jenkins, atraer a personas que de lo contrario se hubieran sentido alejadas.

El doctor Ben Johnson, que colaboró tanto en el DVD como en el libro, indica que «si bien gran parte de lo que dice, incluidas muchas palabras concretas, son citas casi literales de la Biblia, nadie le dio el debido reconocimiento». Laura Smith, de Lime Radio, destacó «el tiempo que tarda *El secreto* en reconocer a Jesucristo. Llegué a la página cuarenta y seguía sin citarlo». Es más, no es hasta la página 47 cuando Byrne menciona el Nuevo Testamento y el tema de pedir, tener fe y recibir, que ella describe como los «tres pasos muy simples» de la Biblia para conseguir lo que quieres. Se trata de una religión *light* para las masas cuasi-espirituales.

No todos ven la interpretación que hace *El secreto* de pedir, tener fe y recibir como algo inofensivo o acertado. Oliver Thomas, ministro baptista sureño y abogado constitucionalista muy activo en debates públicos sobre religión, ciencia y educación y autor de 10 *things your minister wants to tell you: (but can't, because he needs the job)*, cree que el libro tiene un lado muy oscuro. «Contiene parte de la teología más destructiva de los últimos años –me escribió en un correo electrónico–. Deja a millones de personas crédulas e inocentes a merced de la decepción, la desilusión y el sentimiento de culpa. No se trata simplemente de una mala teología. Es una teología peligrosa.»

Thomas dice que Byrne saca la teología del Nuevo Testamento fuera de contexto y la transforma en lo que él llama «teología de la prosperidad». «Pero ella no es la primera que lo ha hecho; ya lleva años apareciendo en televisión. Muchos telepredicadores cristianos han construido sus imperios basándose en esta línea de pensamiento», dice. Con todo, un gran número de teólogos cristianos piensa que «pedid y se os dará» quiere decir que se debe rogar a Jesucristo no de una manera superficial, sino pensando en lo que él pediría o querría para el mundo. «Cuando le pedimos a Dios que haga algo, ha de ser coherente con lo que Él quiere que ocurra en la Tierra, no una satisfacción personal. Dios no es un Santa Claus cósmico», señala Thomas.

Se puede apreciar que, sin una instrucción teológica o una lectura cuidadosa, los siguientes pasajes de la Biblia podrían ser malinterpretados con facilidad.

Si permanecéis en mí y mis palabras permanecen en vosotros, pedid lo que quisiereis, y se os dará.

(Juan 15,7)

Aun más, en verdad os digo que si dos de vosotros conviniereis sobre la tierra en pedir cualquier cosa, mi Padre, que está en los cielos, os la otorgará.

(Mateo 18, 19)

Os digo, pues, pedid y se os dará; buscad y hallaréis; llamad y se os abrirá.

(Lucas 11, 9)

Por nada os inquietéis, sino que en todo tiempo, en la oración y en la plegaria, sean presentadas a Dios vuestras peticiones acompañadas de acción de gracias.

(Filipenses 4, 6)

Según Thomas, el cristiano tradicional entiende la oración como un momento para armonizar las intenciones y los pensamientos personales con la voluntad de Dios. La oración debería ser coherente con la fuerza trascendental del universo. «Cuando se reza así, las oraciones tienen que ser expiatorias», dice. En lugar de pedir dinero, coches, casas, fama o éxito en los negocios, se pide ayuda y fortaleza para sobrellevar todo lo que la vida nos pone inevitablemente en nuestro camino. Por ejemplo: «Que Dios me dé fuerzas para ayudar a mi vecino tal como debería hacerlo», «Ayúdame a salir en defensa de mi compañero de clase gay, del que se están burlando», o «Por favor, dame la paciencia que necesito para cuidar bien a mi marido, que tiene Alzheimer». De esto es de lo que habla Jesús cuando dice pedid y se os dará, según el pastor.

«Duele ver cómo un libro así tiene tanto éxito, no porque el autor se esté enriqueciendo (después de todo éste es el estilo de vida estadounidense). Sino porque después de leerlo, es evidente que sus ideas pueden perjudicar a personas inocentes sin una formación teológica.» La siguiente frase extraída de la introducción de Byrne es el tipo de promesa que puede llenar de esperanza a alguien desesperado y que lo puede frustrar de manera terrible en un instante: «No importa quién seas o lo que hagas, *El secreto* puede darte todo lo que quieras».

Cuando la gente deposita la fe en sus pensamientos, lo que sucede inevitablemente, dice Thomas, es que los propios designios de la vida se interponen en el camino. «Dios no es un gran maestro titiritero que controla todo.» El pastor señala que las Sagradas Escrituras dicen que la lluvia cae sobre justos y pecadores, y que Dios ha impuesto ciertas leyes y restricciones en el universo. Así, cuando las cosas se tuercen no tiene nada que ver con que uno sea bueno, malo o regular. «La vida es caprichosa. Los buenos ministros no crean falsas expectativas entre sus feligreses, y es esto lo que *El secreto* hace mal. El libro pregona que uno puede estar sano y ser multimillonario, si utiliza la ley de la atracción. La realidad es que hay millones de estadounidenses que sufrirían una crisis si dejaran de tomarse sus medicinas», dice; o que dejarían sus trabajos si creyeran que es más fácil hacerse rico sentado en casa.

Desafortunadamente, dice Thomas, muchos clérigos cristianos predican esta idea. «Estaba escuchando a Oral Roberts en televisión y dijo algo parecido a "Ahora coloca tus manos sobre el televisor y cree que Dios puede realizar un milagro para ti". Y me imagino a todas esas ancianas menudas que viven con una pensión mínima haciéndolo para solucionar sus dolores de espalda y luego enviando sus cheques a la secta.»

Muchos ministros pentecostales creen en curaciones reales, al igual que Thomas. Sin embargo, la diferencia que él establece es que no sabe por qué ocurren (mientras que los pentecostales podrían decir que se trata de la voluntad divina; según El secreto es resultado directo de un auténtico pensamiento positivo). «Doctores con algunos años de práctica te dirán que ven cómo estas cosas ocurren, pero la idea de que la curación alcanza sólo a quienes tienen suficiente fe lleva a muchas personas a la desesperación y a la depresión –dice–. Hay montones de cosas en nuestra extraña vida que son aleatorias y no tienen nada que ver con nuestra actitud.»

El judaísmo: intención y transformación

Byrne dice que la ley de la atracción secreta se encuentra en el judaísmo. Pero parece dudoso que las enseñanzas del Talmud estén pensadas para el engrandecimiento personal. Geoffrey W. Dennis, rabino de la congregación Kol Ami en Flower Mound (Texas) y autor de la Encyclopedia or Jewish myth, magic and mysticism (2007), explica que existen unos lazos sutiles y finos que conectan la ley de la atracción con el judaísmo. Según dice, la noción de kavanah en el misticismo judío, que consiste en incluir la intención correcta en tu oración y en tus actos, aporta honor a las acciones del judaísmo, ya sean rituales o morales. «Tiene un poder cósmico; Dios realmente quiere que nosotros seamos sus compañeros a la hora de transformar el mundo –dice–, pero este poder no está pensado para tu propio beneficio.»

Tikkun Olam es otro término importante en este contexto, según el rabino Dennis. «Significa arreglar el mundo o rectificarlo, si nos tomamos en serio el mandato que Dios nos da. Es una paradoja porque somos células pequeñas y débiles con un poder inmenso para terminar el trabajo de la creación.» Él establece distinciones en cuanto a la orientación hacia el éxito que ofrece *El secreto*. Ésta no es una labor autoindulgente, para conseguir una ganancia o recompensa personal. La utilización de la *kavanah*, la intención, no nos convierte en más generosos. Más bien se trata de una extensión de tu amor a Dios.

El pensamiento positivo, es decir, lo semejante atrae a lo semejante, tiene siempre otro lado problemático, dice el rabino Dennis, quien ilustra el dilema con una historia: «Vas caminando hacia tu casa y ves elevarse las llamas de un incendio en tu vecindad. Entonces te dices, Dios mío, haz que *no* sea mi casa la que está ardiendo. En primer lugar, el fuego ya se está produciendo y le pides a Dios que cambie la realidad, y en segundo término pedirle que no se trate de tu casa, lleva implícito que el fuego se produzca en la casa de un vecino». Problamente, desde un punto de vista realista y moral, no habría que esperar que Dios nos concediera ciertas cosas.

El judaísmo sí que defiende que todo sucede por algún motivo y, a veces, dice Dennis, nos resulta difícil llegar a comprenderlo cuando se trata de tragedias y privaciones. «Pero afirmar que hay un valor en cada experiencia nos permite concluir que nuestra vida tiene un sentido; ¿no es eso mejor que sentir que lo que ocurre no tiene ningún propósito? –se pregunta–. Si echamos la vista atrás en nuestra vida, podemos ver las huellas de Dios en ella. Él siempre se manifiesta cuando miramos hacia atrás.»

Tenemos poderes y cualidades que rayan en lo divino, dice Dennis, pero con todo, desear o pensar que las cosas se conviertan en realidad por arte de magia no cuadra con el judaísmo. El problema, dice, es que como nuestra mente es divina, podemos imaginar que también lo somos y, en consecuencia, que somos capaces de hacer y conseguir casi cualquier cosa. Pero el patetismo de la experiencia humana estriba en que no siempre logramos todo lo que desearíamos porque tenemos limitaciones. «Se trata de encontrar un equilibrio entre la realidad de nuestra capacidad y nuestro destino. Hay ciertas cosas sobre las que no tenemos control. Lo único cierto es que todos vamos a

216

morir, todos envejecemos, todos tenemos que pasar de curso... Ya conoces el dicho de Alcohólicos Anónimos: "Dios, concédeme la serenidad para aceptar las cosas que no puedo cambiar, el valor para cambiar aquello que puedo cambiar, y la sabiduría para conocer la diferencia".»

Recorriendo el sendero del budismo

Byrne cita la frase de Buda: «Todo lo que somos es el resultado de lo que hemos pensado», para afirmar que los pensamientos crean nuestra realidad y pueden atraer cosas, buenas y malas. John Suler, profesor de psicología de la Rider University, señala que las conexiones espirituales de la ley de la atracción pueden remontarse vagamente hasta las raíces del budismo. «Algunos de los puntos del óctuplo sendero del budismo, los principios para lograr una vida feliz, incluyen "el habla perfecta" y "el pensamiento perfecto", que en lo esencial equivalen a pensar y hablar de manera positiva. Es el principio de "con la moneda que pagues te pagarán". Si piensas y hablas de manera positiva, si envías "ondas positivas" al mundo exterior, eso es lo que recibirás a cambio», explica John Suler.

El budismo es una de las religiones más antiguas

de cuantas se practican en la actualidad; se remonta al siglo tercero antes de Cristo, cuando era una creencia poco conocida basada en la filosofía de Siddharta Gautama (Buda), éste renunció a una vida de lujo y en su lugar practicó una espiritualidad que estudiaba la verdadera naturaleza de la vida y que finalmente le condujo a su comprensión. La meditación es una parte importante de la práctica budista, concretamente para desarrollar unas características positivas, tales como el conocimiento, la bondad y la sabiduría que pueden culminar en la iluminación. El budismo no incluye la adoración de un único creador o dios, lo cual resulta confuso para quienes puedan verlo como una filosofía y no una religión. Por eso, muchos de los que se consideran miembros de otras religiones tradicionales, tales como el cristianismo y el judaísmo, practican la filosofía budista al mismo tiempo, sin tener ningún sentimiento de incompatibilidad.

Richard Seager, profesor adjunto de estudios religiosos en la facultad de Hamilton, experto en budismo norteamericano y autor de *Buddhism in America and encountering the dharma*, dice que los budistas están convencidos acerca de los beneficios terrenales de su religión. Históricamente, las variantes japonesas del budismo, explica, han puesto énfasis en las ganancias que provienen del cumplimiento y la práctica. «La idea de que si te comprometes con una religión, lo haces para conseguir algo a cambio, está presente en todos los grupos budistas nipones. Se encuentra en este marco general de referencia asiática que intenta remediar las necesidades reales de la gente que sufre. Si te estás muriendo de hambre, puedes salmodiar pidiendo alimento; si no tienes trabajo, puedes cantar pidiendo empleo», explica.

Cuando se habla del pragmatismo o la utilidad budista, Seager señala concretamente el movimiento de Soka Gakkai, que promueve la paz mundial y la felicidad individual, basándose en las enseñanzas del budismo Mahayana, muy extendido en Japón tras la segunda guerra mundial. «Los pobres del país salmodiaban pidiendo aquello que necesitaban para sobrevivir tras la guerra. Los creyentes siempre establecen una distinción entre algo concreto y algo intangible, es decir, beneficios espirituales.»

Cuando el movimiento se trasladó a Occidente y coincidió con lo que muchos consideran un ascenso del narcisismo cultural en Estados Unidos, se diluyó el énfasis en lo material y se concentró en los beneficios tangibles que no son necesidades vitales (trabajo o alimento). «El movimiento tiende al mínimo común denominador, se generaliza mucho y, finalmente, es imposible distinguirlo del Nuevo Pensamiento», dice Seager.

Otra manera de pensar en los beneficios del budismo, que podrían tener una débil conexión con la ley de la atracción, es lo que Seager llama la noble verdad de que toda la vida es sufrimiento. «Pero para el budismo, existen maneras de encontrar la felicidad», dice. Y conseguir que ocurran cosas buenas está relacionado con el karma. «Ahora bien, si eres una persona con un pensamiento filosófico, la felicidad ocurrirá en un plano espiritual o a través de un beneficio inmaterial», explica Seager.

Para una gran variedad de sofisticadas filosofías budistas, mente y universo también están conectados, y Byrne podría estar haciendo referencia a este concepto cuando afirma que su secreto se puede encontrar en el budismo, según Seager. Él lo explica de la siguiente manera: «En términos lo más amplios posibles, para el budista Mahayana no hay distinción entre la mente, por un lado, y el universo, por otro, porque ambos forman parte de la misma realidad. Asocio este punto de vista más bien con el budismo chino, con el concepto de que toda la vida es un sueño. Sin embargo, ésta es una postura extrema y creo que la opinión moderna pone más énfasis en satisfacer las necesidades sociales».

Una religión práctica

La Ciencia Cristiana, o la iglesia de Cristo Científico, es una pequeña secta protestante que practica la sanación cristiana como un reflejo de las curaciones realizadas por Jesucristo y sus discípulos. Según Stephen Barrett, que dirige el sitio web Quackwatch, sus fieles miembros han ido disminuyendo de forma continuada durante los últimos treinta años. Aunque nunca fue especialmente grande; en 1971 había 1 829 iglesias; en 2005 sólo quedaban 1 010. Los practicantes (sanadores) y maestros de la Ciencia Cristiana también han disminuido mucho: de los 4 965, en 1971, hasta 1 161, la cifra más baja de toda su historia, en el año 2005. La máxima concentración de unos y otros entonces y ahora se da en California (1 246 y 259, respectivamente), quizá debido al tamaño de su población. Massachussets, donde están situadas la iglesia madre y las oficinas de su diario *Christian Science Monitor* sólo puede presumir de 101 seguidores en la actualidad; tenía 295 en el año 1971. Florida, Illinois y Nueva York siguen a California en cuanto al número de fieles.

Mary Baker Eddy fundó la secta en 1879, y su libro, *Ciencia y salud con clave de las escrituras*, es el texto fundamental que utilizan los miembros de su iglesia. Como ya se ha explicado en el capítulo 4, Phineas

Quimby, considerado uno de los creadores del movimiento del Nuevo Pensamiento, influyó poderosamente en las ideas de Eddy sobre la enfermedad como ilusión, cuando ella lo vio por primera vez en calidad de paciente. Su opinión de que la enfermedad es un producto de la mente humana, postura compartida por Rhonda Byrne, se formó en aquella época.

En 1866, tras caerse en la calle y lesionarse la espalda, Eddy se medicó con el estudio de la Biblia, algo que según ella, le curó de su lesión espinal (aunque los registros históricos recogen que demandó a la ciudad de Lynn, Massachussets, por las largas secuelas del accidente). Dedicó el resto de su vida a establecer una red de iglesias y salones de lectura por todo el país. A la edad de ochenta y nueve años fundó *The Christian Science Monitor*, un respetable periódico que todavía se publica hoy.

Los tres principios fundamentales de la Ciencia Cristiana, según la web de su iglesia, son:

1. Dios es Amor divino, Padre-Madre, supremo.

2. La verdadera naturaleza de cada individuo como hijo de Dios es espiritual.

3. La infinita bondad de Dios, realizada en oración y acción, cura.

Laura Smith, directora de programación de Lime Radio, dice que la Ciencia Cristiana supuso su auténtica introducción a la metafísica; supo de ella por un folleto que encontró en la Grand Central Station de Nueva York. «A mí me pareció todo muy lógico. Ya no pertenezco a esa iglesia, pero utilizo su premisa sobre la ciencia de la metafísica», dice. La ausencia de la Ciencia Cristiana en *El secreto* no le sorprende a Smith, quien afirma que probablemente fue dejada al margen porque muchos la malinterpretan. «La gente siempre piensa: "¡Vaya!, ésa es la religión en la que no se va al médico; en ella practican la sanación espiritual". Eso desanima mucho.»

La valoración de Smith no va demasiado desencaminada pues para la Ciencia Cristiana la enfermedad es una ilusión que un practicante puede eliminar a través de una oración curativa. «El capítulo que *El secreto* dedica a la salud me recuerda a la Ciencia Cristiana –dice el pastor Thomas–. Cada cierto tiempo me encuentro con antiguos adeptos a la secta que han perdido un hijo por culpa de una enfermedad leve que podría haberse tratado con antibióticos no invasivos, y es muy duro.» *El secreto* no lleva tan lejos la idea de abandonar la medicina como la Ciencia Cristiana, pero sí que afirma que si tienes la actitud mental correcta tendrás una salud perfecta. «Esto es jugar con las enfermedades que afectan a los estadounidenses» –sin ofrecer ninguna ayuda auténtica o consejos útiles, sostiene Thomas–. Si me quedo sentado en el sofá y tengo pensamientos positivos, nunca iré al gimnasio, algo totalmente contrario a llevar una vida sana.»

La salud, física y mental, es una pieza central del pensamiento de la Ciencia Cristiana, pero la ley de la atracción no aparece en el libro de Eddy *Ciencia y salud*. Sin embargo, el siguiente pasaje está relacionado con la idea de que lo semejante atrae a lo semejante.

Lloramos porque otros lloran, bostezamos porque otros bostezan, y tenemos la viruela porque otros la tienen; pero la mente mortal, no la materia, contiene y transmite la infección. Cuando se comprenda este contagio mental, seremos más cuidadosos con nuestras condiciones mentales, y evitaremos la charlatanería locuaz sobre enfermedades, tal como evitaríamos abogar por el delito. Ni la simpatía ni la sociedad deberían tentarnos nunca para que apreciemos el error en forma alguna, y no deberíamos ser defensores del error.

En cuanto al poder de la mente, escribe:

La Ciencia Cristiana explica que toda causa y efecto son mentales, no físicos. Levanta el velo de misterio del alma y del cuerpo. Muestra la relación científica del hombre con Dios, desenreda las ambigüedades entrelazadas del ser, y libera el pensamiento aprisionado. En la ciencia divina, el universo, incluido el hombre, es espiritual, armonioso y eterno. La ciencia muestra que lo que calificamos como materia no es más que el estado subjetivo de lo que señala la mente mortal del autor.

Eddie no aborda el tema de «pedir, tener fe y recibir» y parece ver con malos ojos la vanidad y el materialismo humanos:

La belleza, la riqueza o la fama no están capacitadas para satisfacer las demandas de los afectos, y nunca deberían ser un factor en contra de los derechos superiores del intelecto, la bondad y la virtud. La felicidad es espiritual, nacida de la Verdad y el Amor. Es desinteresada; por tanto no puede existir por sí sola, sino que necesita ser compartida por toda la humanidad.

Eddie lanza una dura advertencia contra aquellos que utilizan la ciencia mental por motivos egoístas:

La ciencia de la práctica mental no admite una utilización perversa. El egoísmo no está presente en la práctica de la Verdad o la Ciencia Cristiana. Si se abusa de la práctica mental o se usa de otra manera que no sea para promover el pensamiento y la actuación correctos, el poder de sanar mentalmente se irá reduciendo hasta que la capacidad de curación del practicante se haya perdido por completo.

El enfoque de *El secreto* en la satisfacción de los sueños materiales, que rechazan casi todas las religiones organizadas, excepto la teología de Wall Street, podría contemplarse de modo optimista como una manera de atraer a la gente hacia una vida espiritual, con la esperanza de que se vea empujada hacia un objetivo superior. El tiempo dirá si esto es así. Además, como explica el sociólogo Darren Sherkat, cuando la gente se dé cuenta de que no funciona, muchos, especialmente los que padecen manifestaciones leves de enfermedades mentales, quienes, afirma él, se sienten fuertemente atraídos por curaciones que tienen algo de milagrosas, buscarán otras soluciones mágicas. «Entonces el siguiente negociante moral reemplazará a aquel que haya perdido a sus seguidores.»

En cuanto al ministro baptista Oliver Thomas, quien ve la religión como algo que debería reafirmar la vida y no rechazarla, el mensaje de *El secreto* resulta problemático y puede acabar apartando a la gente de la fe, si se siente desilusionada por la espectacular promesa del libro. «Este libro resulta pernicioso porque parece que celebra la vida, pero en realidad pretende que sea algo que no es en realidad.» A Thomas le recuerda lo que el doctor Albert Schweitzer y el pastor luterano alemán Dietrich Bonhoeffer dijeron sobre el gran objetivo de la fe, que contrasta totalmente con *El secreto*:

Busca siempre hacer algún bien en alguna parte. Cada hombre tiene que encontrar su propio camino para desarrollar su auténtica valía. Debes dedicar algún tiempo a tu prójimo. Pues recuerda que no vives solo en el mundo. También están aquí tus hermanos.

Dr. Albert Schweitzer

La gracia barata es enemiga mortal de nuestra Iglesia. Hoy luchamos por la gracia costosa. La primera se vende en el mercado como una baratija. Los sacramentos, el perdón de los pecados y el consuelo de la religión se desperdician a precios rebajados... Se supone que la esencia de la gracia es que ya se ha pagado la cuenta por adelantado y, si es así, puede obtenerse todo a cambio de nada.

Dietrich Bonhoeffer,
The cost of discipleship

GENIOS, FILÓSOFOS, LOCOS Y FINANCIEROS SIN ESCRÚPULOS ¿CONOCIERON REALMENTE EL SECRETO?

El secreto *menciona a muchos genios de diferentes campos y épocas relacionados con la ley de la atracción. Byrne dice que personajes tan diversos como Shakespeare, Emerson, Beethoven y Henry Ford la utilizaron, aunque no fueran conscientes de ello. El concepto resulta enigmático: ¿de verdad practicaron la ley de la atracción Platón, Carl Jung, Robert Browning, Ralph Waldo Emerson y Albert Einstein, sin pretenderlo? ¿De verdad creían que sus pensamientos se convertían en objetos? ¿Su éxito se basaba en pedir, tener fe y recibir? ¿O más bien se trata de que cualquier persona que consiga fama y fortuna, ya sea con su talento o su trabajo, está utilizando la ley de la atracción sin importar lo que crea? Si ésta fuera la respuesta que dan los partidarios de la ley de la atracción, entonces no tendría ningún sentido profundizar en las vidas de esos hombres. Byrne podría decir que cualquiera que haya hecho algo importante en su vida utilizó la ley de la atracción.*

La lógica estribaría en que el talento, el dinero, la fama y el éxito son siempre *fruto de la ley de la atracción*. Pero no estoy tan segura de que eso sea cierto. Pienso que dejar las cosas así disminuye los logros (y los defectos) de aquellos hombres.

He investigado a nueve de los hombres que Byrne menciona para comprobar si la filosofía de la ley de la atracción impulsó sus éxitos y esfuerzos creativos o empresariales. En el mundo de las artes me he centrado en el compositor Ludwig van Beethoven, el dramaturgo William Shakespeare y el escritor Ralph Waldo Emerson. A continuación me he fijado en tres personajes que, cada uno en su estilo, ejercieron una enorme influencia en el siglo xx: Thomas Alva Edison, Winston Churchill y Albert Einstein. Del mundo de los negocios he elegido a Andrew Carnegie, William Clement Stone y Henry Ford.

Esta sección no es un intento de escribir las vidas completas de todos, pues ya existen muy buenas biografías sobre cada uno. Pretendo, más bien, examinar sus vidas a través de la lente de la ley de la atracción. ¿En qué momento y lugar de sus vidas podría haber hecho su aparición? ¿Como se manifestó? ¿Cómo no se manifestó?

Evidentemente, hay muchas discusiones filosóficas válidas sobre si el talento es cuestión de naturaleza o de educación, o bien una combinación de ambas. La práctica hace al maestro; las dos son esenciales para desarrollar un talento natural hasta convertirlo en algo extraordinario. Cada uno

*de los personajes de esta sección fue un creador incansable,
comprometido con su pasión y sus ideas, aunque fueran
una mezcla de genio y locura, como parece ser el caso de
Henry Ford. El pensamiento por sí solo no les hizo ganarse
el lugar que todos ellos ocupan en la historia.*

7

MODELOS CREATIVOS: LUDWIG VAN BEETHOVEN, WILLIAM SHAKESPEARE Y RALPH WALDO EMERSON

La creatividad artística. ¿De dónde procede? ¿Se trata de un rasgo con el que se nace, una condición moldeada por la naturaleza y la educación, por la suerte y el valor? ¿Por qué hay personas de talento que son capaces de aprovechar sus dones mientras que otras, igualmente dotadas, no logran ganarse la atención y la admiración del público? El genio creativo tiene un aura de magia y misterio porque difiere de otras actividades cognitivas, como la resolución de problemas o la simple memorización de hechos y datos. La cualidad intrínseca o esencial de la creatividad la hace muy tentadora para las interpretaciones mágicas, y ¿quién sabe? El genio tiene algo de divino. ¿Recurrieron Beethoven, Shakespeare y Emerson al universo en busca de inspiración? ¿Creían que sus capacidades provenían *únicamente* del universo? Existen muchísimas obras que analizan la mente y el trabajo de estos tres grandes hombres por lo que resulta no sólo imposible, sino nada recomendable intentar dar respuesta a estas preguntas en tan poco espacio. Sin embargo, si nos fijamos brevemente en sus vidas y en sus propias palabras, podremos sacar algunas conclusiones sobre su modo de pensar con respecto a la ley de la atracción.

Beethoven: el amor y la música

Beethoven es considerado como uno de los más grandes compositores de la historia de la música. Nació en Bonn, en 1770, se trasladó a Viena en 1792 y murió en 1827, con sólo cincuenta y seis años. Ya desde pequeño prometía como músico y, en un ataque de pensamiento positivo, su padre le animó, algunos dirían le obligó, a desarrollar sus habilidades como pianista a base de practicar casi sin descanso. Albergaba sueños de éxito y riqueza para su hijo (y por consiguiente para sí mismo), pues conocía bien la clase de fama y fortuna que el talento musical le había proporcionado a Mozart. Como músico profesional, Beethoven era apreciado como pianista solista y también tocaba el violín con talento y oficio. Según decían, era un buen vecino, un amigo leal y un amante de la naturaleza (siempre dispuso de casas de veraneo en los bosques a las afueras de Viena), y veía la vida como el universo de lo posible.

El compositor desarrolló su trabajo durante una época de transición tanto desde el punto de vista de la forma musical como de la sociedad. Vivió a caballo entre dos épocas musicales, la clásica y la romántica, entendiendo por clásica en este contexto una música formal, ordenada y racional, y por romántica una emocional, estructurada más libremente y a veces explosiva en la expresión. Ésta fue también la primera oportunidad en la historia en que los músicos pudieron trabajar independientemente, en lugar de formar parte del sistema económico y social de la corte o de la iglesia. Mozart fue el primero en no hacerlo, pero Beethoven también se abrió camino como trabajador independiente. Ambos seguían dependiendo de la realeza y de los aristócratas, los cuales en general, trataron bien a Beethoven. Sin embargo, el compositor se sentía ofendido porque no lo consideraran su igual; no pudo, por ejemplo, casarse con una dama de la corte.

El músico era popular entre los entendidos y varios aristócratas se reunieron y acordaron pagarle un estipendio para que pudiera componer sin tener que preocuparse por el dinero durante la mayor parte de su vida. El hecho de depender de ellos demostró ser una espada de doble filo. Por una parte, estaba a salvo y era libre para escribir lo que le apeteciera. Por otra, se veía obligado a soportar un sistema de clases con el que no estaba de acuerdo. No es que mordiera precisamente la mano que le daba de comer, pero en una ocasión en que daba un concierto de piano en una velada aristocrática, le irritó que algunas personas de entre el público comenzaran a hablar durante su actuación. Se dice que se levantó del banco y pronunció su famosa frase: «Existen muchos nobles, pero sólo hay un Beethoven».

Su visión del mundo era universal, lo cual no casaba con las rígidas e infranqueables diferencias de clase de su tiempo. Los versos de su Novena Sinfonía, por ejemplo, expresan la idea de que todos los hombres son hermanos, un sentimiento romántico muy diferente del punto de vista dominante que consideraba que los hombres se definían por su rango de nacimiento. Tenía simpatía por la Revolución francesa y la de Estados Unidos y, hasta que Napoleón se autoproclamó emperador, Beethoven fue partidario del conquistador, pues pensaba que unificaría Europa y lucharía por establecer un sistema democrático. Se sintió tan decepcionado con su héroe que eliminó el nombre de Napoleón de su Tercera Sinfonía.

En cuanto a la ley de la atracción, Beethoven creía tanto en la universalidad del hombre como en su propia valía como compositor. El sitio web de *El secreto* afirma que Beethoven era «considerado un rosa-cruz», pero no dice por quién. No he podido encontrar ninguna referencia a este hecho en las seis biografías más reputadas, a saber: *Life of Beethoven*, de Thayer, y las de Edmon Morris, Maynard Solomon, Lewis Lookwood, Anton Felix Schindler y Russell Martin. Está claro que sus ansias por componer tuvieron que comenzar con un «pensamiento positivo»; todo proceso creativo se inicia y se mantiene al fin y al cabo de esa forma. La música fue el centro de su vida; la fuerza impulsora que le evitó ser arrastrado por defectos muy serios que hubieran frenado a otra persona con menos empuje.

La creciente sordera de Beethoven, unida a que era de estatura más bien baja, tenía la cara marcada por la viruela y no era muy agraciado (y muy posiblemente su higiene dejaba mucho que desear), le llevaron a recluirse en sí mismo y en su música, que se convirtió en la única manera que tenía de comunicarse con los demás. Se podría decir que Beethoven abordaba la composición con un positivismo y un amor inquebrantables. Entendía el arte como un mensaje universal con el que todo el mundo podía disfrutar o sentirse inspirado, y fue el primer compositor que consiguió expresar como tema central de su música todos los diversos niveles de la emoción humana. Su música, además de ser extremadamente poderosa, tenía un gran atractivo para el público; justo lo que él deseaba.

Beethoven fue un hombre de principios según Ignaz von Seyfried, su amigo y también colega. En 1832, Von Seyfried escribió un libro, *Beethovens Studien*, muy preciso en cuanto a las reminiscencias personales de su amistad con el compositor. La descripción que hace de él nos da la imagen de un hombre que quería que sus amigos se comportaran igual de bien que él, lo que provocó que con frecuencia le costara encontrar y conservar relaciones profundas de amistad. Von Seyfried escribió que la justicia, el decoro personal, una mente sincera y la pureza religiosa significaban mucho para Beethoven. Su lema era «Un hombre vale tanto como su palabra», y sus amigos sabían que le irritaba profundamente que alguien dejara una promesa sin cumplir.

Puede que el compositor alcanzara estados más elevados de conciencia por medio de la interpretación, la composición y la audición de la música. J. W. N. Sullivan en su libro *Beethoven: His spiritual development* (1927) escribe sobre los últimos cuartetos del compositor y dice: «Beethoven había alcanzado un estado de conciencia que sólo han logrado alcanzar los grandes místicos, en el que ya no existe la disonancia. Y al alcanzarlo recordaba la totalidad de su experiencia de la vida; él no renegaba de nada».

Cuando Beethoven tenía sólo veintidós años, tras su traslado del ambiente musical provinciano de Bonn a la prestigiosa escena internacional de Viena, el joven genio, dice Sullivan, era consciente de su considerable talento y lo tenía en alta estima. «Cuando, apenas cumplidos los veinte años, se trasladó a Viena, lo hizo con una valiente confianza en sí mismo en total correspondencia con sus facultades y su originalidad, una confianza muy necesaria para la plena salvaguardia de su originalidad.»

La biblioteca personal de Beethoven incluía diversos volúmenes de historia y filosofía, libros de poesía y obras de escritores de su tiempo, a algunos de los cuales conocía personalmente. Su interés por el lenguaje de la belleza nos podría llevar a pensar que tenía una visión optimista del hombre y la naturaleza. Muchos de los libros tenían todas las señales de haber sido leídos con cuidado e interés (párrafos marcados con lápiz, páginas dobladas que indicaban el punto en que había quedado interrumpida la lectura). Según su coetáneo Anton Felix Schindler, *La Odisea*, con sus historias bellamente escritas de gentes, lugares y aventuras, «nunca dejó de deleitarle».

En *Beethoven as I knew him* (1860, traducida y reeditada en 1966 y 1996), Schindler escribe que Beethoven también tenía las obras completas de Shakespeare y algunas de Goethe, además de la poesía de Friedrich Schiller, Cristoph August Tiedge y otros poetas contemporáneos suyos. Además, en las estanterías estaban las obras de Platón, Aristóteles, Plutarco y Jenofonte, Plinio, Eurípides, Quintiliano, Ovidio, Horacio, Ossian, Milton y Thompson, y podemos encontrar ideas entresacadas de ellas en las anotaciones de su diario y en cartas dirigidas a sus amigos. Uno de sus libros preferidos y que ha caído en el olvido con el paso del tiempo era *Briefe an Natalie über den Gesang*, de Nina d'Aubigny von Engelbronner, sobre la naturaleza del canto.

Educado como católico, ya de joven Beethoven se formó una opinión independiente sobre la religión, sin duda como resultado de haber alcanzado la mayoría de edad durante la Ilustración. Sus propias palabras muestran que era consciente del orden divino del universo y que consideraba la belleza y la música una consecuencia de un poder superior. Los siguientes pasajes son la mejor manera de mostrar la cosmovisión de Beethoven, que es más compleja de lo que admite la ley de la atracción.

En 1816, Beethoven escribió en su diario: «No fue la unión fortuita de los átomos armónicos la que formó el mundo; si el orden y la belleza se ven reflejados en la constitución del universo, entonces existe un Dios».

En una carta de 1811 a la poetisa Elsie von der Recke, Beethoven incluyó lo siguiente: «El cielo gobierna el destino de los hombres y los monstruos (literalmente los seres humanos e inhumanos), y así me guiará a mí también hacia las mejores cosas de la vida».

Un amigo enfermo recibió el siguiente consejo de Beethoven, escrito en 1816: «Sucede lo mismo con la humanidad; aquí también (en el sufrimiento) debe él mostrar su fortaleza, es decir, aguantar sin conocer o sentir su nulidad y alcanzar de nuevo su perfección, de la que el Altísimo desea hacernos dignos».

En una carta de 1810 el compositor reflexionaba acerca de Dios: «No tengo un solo amigo; debo vivir solo. Pero sé bien que Dios está más cerca de mí que de los demás músicos; me relaciono con Él sin miedo, siempre Lo he reconocido y comprendido y no tengo temor por mi música, no tendrá que enfrentarse a un destino adverso. Aquellos que la entienden deben liberarse de todos los sufrimientos que los demás arrastran consigo».

Beethoven demostró que comprendía que el esfuerzo, y no sólo la confianza en uno mismo, era necesario para lograr algo cuando escribió lo siguiente entre 1816 y 1817: «Todavía no se han levantado las vallas que les digan al talento y al esfuerzo: ¡de aquí no pasáis!».

Esta declaración, escrita a comienzos del siglo XIX,

puede ser interpretada como un pensamiento de la ley de la atracción, pero también pone de manifiesto la fe de Beethoven en el poder del amor y la belleza: «El odio aflige a aquellos que lo fomentan».

Para Beethoven componer música era la ocupación espiritual máxima y dedicó su vida a ello. Utilizó sus pensamientos e imaginación para crear piezas que no han dejado de sonar desde su creación. Pero ninguna de sus obras existiría si no se hubiera puesto a escribir siguiendo los dictados de las notas que tenía en su mente.

La compañía de Shakespeare

William Shakespeare nació en Stratford-upon-Avon en 1564, aunque pasó la mayor parte de su vida profesional trabajando para la escena de Londres. A los dieciocho años contrajo matrimonio con Anne Hathaway. La pareja tuvo tres hijos: la primera hija fue Susana, a quien le siguieron dos mellizos, Judith y Hamnet; este último murió en la niñez. Hacia 1590, Shakespeare ya se había consolidado profesionalmente no sólo como dramaturgo, sino también como actor y copropietario de una compañía de teatro. Alcanzó el éxito tanto de crítica como de público y por descontado sus obras se siguen representando en la actualidad en todos los escenarios, desde los de Broadway hasta los de las escuelas de secundaria de pequeñas ciudades. Los historiadores creen que Shakespeare se retiró a Stratford a comienzos del siglo XVII, probablemente entre 1610 y 1613. Murió en 1616.

La mejor manera de interpretar lo que Shakespeare pensaba sobre los temas espirituales o las religiones, al menos en el contexto de *El secreto*, consiste en leer sus textos. Él no era un pagano o un deísta, aunque continúa abierto un animado debate acerca de sus creencias religiosas. Oficialmente, Shakespeare pertenecía a la Iglesia anglicana y es muy posible que creyera en la cosmovisión isabelina, que afirmaba la existencia de una gran cadena del ser. Este concepto, que nació en la literatura clásica, se convirtió en un motivo esencial para el pensamiento medieval y renacentista. Concibe el universo como una jerarquía, creada por el Ser Supremo, en la que Dios se sitúa en lo más alto de una cadena vertical. Por debajo de Él están los ángeles, seguidos del hombre. En un nivel inferior están los animales y por debajo de ellos la flora terrestre. Los minerales se colocan en la base; sin embargo, el oro está en lo más alto dentro de la jerarquía mineral. La posición de un ser o una cosa en la cadena viene determinada por su proporción de «espíritu» y «materia». Así, se creía que el hombre tenía la mayor proporción de espíritu de todos los seres terrenales, pero por supuesto inferior a la de los ángeles.

Dicho esto, existe en la actualidad un animado e intenso debate entre los especialistas en Shakespeare y los aficionados sobre si el dramaturgo fue en realidad miembro de la Iglesia católica. Tanto su padre como su madre eran católicos. Si Shakespeare hubiera sido simpatizante o practicante del catolicismo, habría sido muy peligroso declararlo abiertamente dada la época que le tocó vivir. Isabel I era la soberana reinante en el país y cabeza de la Iglesia anglicana durante la vida adulta de Shakespeare. Aunque la corte toleraba cierto margen de creencias religiosas privadas, se esperaba la conformidad pública y la lealtad a la iglesia oficial del Estado. La recusación, es decir, la negativa a someterse a la autoridad establecida o la negativa de los católicos a asistir a los oficios religiosos de la Iglesia de Inglaterra, podía ser castigada con multas de diverso tipo e incluso con pena de prisión (o incluso algo peor).

Otra línea de pensamiento sugiere que Shakespeare se podría haber alejado tanto del catolicismo como de la religión anglicana. La biografía de Stephen Greenblatt, *Will in the world: How Shakespeare became Shakespeare* (2004), defiende la idea de que el joven Shakespeare conoció en Lancashire el fanatismo religioso a través de una familia de recusantes relacionada con un estudioso jesuita llamado Edmund Campion, que fue arrestado y ejecutado por sus actividades misioneras. Greenblatt argumenta que su contacto con el fanatismo misionero dio paso a un escepticismo religioso y a una sensibilidad más razonada; sus obras de teatro se sitúan con frecuencia en un tiempo pasado en la Inglaterra católica y mezclan a menudo la religión, la política, lo oculto y la superstición.

De todas maneras, las obras de teatro de Shakespeare expresan una diversidad de puntos de vista y no muestran una adhesión personal a la Iglesia anglicana o al catolicismo. Algunos expertos han dicho que Shakespeare podría haber tenido una fe «híbrida» y haber mantenido creencias contradictorias. Cualesquiera que hubiesen sido sus creencias, la mejor manera de desvelar lo que pudiera pensar sobre la capacidad cósmica humana de atraer ciertas cosas a su vida por medio del pensamiento se puede apreciar mejor leyendo lo que escribió en sus obras de teatro. Él se muestra seguro de la dirección que ha decidido tomar, interesado en el valor de la educación, la honestidad y el valor intelectual. A través de uno de sus personajes, Polonio, Shakespeare escribió la famosa y muy citada frase: «Y, sobre todo, esto: sé sincero contigo mismo».

Además, muchas de sus tragedias respetan la idea de que no importa lo que hagamos, pues estamos más o menos en manos de la fortuna. Muchas tragedias del período isabelino, incluidas las de Shakespeare, seguían la convención instituida por Aristóteles según la cual los héroes sufren un trágico defecto que les condena. Éste suele ser la ambición desmedida. Él afirma que en ciertos casos, la culpa sí radica en los hombres, no en el destino, pero hace que ciertos personajes se pregunten por qué tienen que sufrir los hombres buenos. El caso es que el mal existe y no hay nada que podamos hacer para evitarlo.

Las siguientes citas también pueden arrojar algo de luz sobre el modo en que Shakespeare contemplaba la posición del hombre y el poder en el universo.

¡Los cobardes mueren varias veces antes de expirar! ¡El valiente nunca saborea la muerte sino una vez!

Julio César, acto II, escena 2

El hombre robado que sonríe roba alguna cosa al ladrón.

Otelo, acto I, escena 3

Que la acción responda a la palabra y la palabra a la acción.

Hamlet, acto III, escena 2

Nuestras dudas son traidoras, y nos hacen perder a menudo el bien que podríamos ganar, por temor a experimentarlo.

Medida por medida, acto I, escena 4

El «sí» es el único arreglacontiendas. Hay una gran virtud en el «sí».

A vuestro gusto, acto V, escena 4

Pero si codiciar el honor es un pecado, soy el alma más pecadora que existe.

La vida del rey Enrique V, acto IV, escena 3

La naturaleza os dio una cara, y vosotras os fabricáis otra distinta.

Hamlet, acto III, escena 1

No hay otra oscuridad sino la de tu ignorancia.

Noche de Epifanía, o lo que queráis, acto IV, escena 2

Y, finalmente, la siguiente frase, un sentimiento que no es compartido por los muchísimos admiradores de *El secreto* que están ocupados pensando en casas de ensueño, ropa cara y dinero. Esto no quita que uno no pueda hacerse un cuaderno de necesidades y deseos; se trata más bien de que a Shakespeare quizá no le hubiera gustado.

No quisiera que supusierais que cedo al interés.

Noche de Epifanía, o lo que queráis, acto V, escena 1[*]

[*]La traducción de los diversos extractos de las obras de Shakespeare es de Luis Astrana Marín, editorial Aguilar, Madrid, 1981. *(N. del t.)*

La naturaleza del hombre según Emerson

Ralph Waldo Emerson está situado en el centro del movimiento trascendental de Estados Unidos, y expuso la mayoría de sus ideas y valores en su libro *Naturaleza*, que él mismo publicó de forma anónima en 1836. La idea de Emerson sobre el trascendentalismo, que también adoptaron Henry David Thoreau, Margaret Fuller y otros, estaba basada en que un estado espiritual perfecto «trasciende» lo físico y lo empírico y sólo puede apreciarse por medio de la intuición individual, antes que a través del dogma religioso. Existe también la posibilidad de que Byrne hubiera podido confundir el trascendentalismo de Emerson con la versión *hippy* de la década de los sesenta que era mucho más mística y mágica (incluía viajes de ácido y minifaldas de Mary Quant) de lo que Emerson hubiera imaginado. Con todo, también es cierto que el movimiento del Nuevo Pensamiento sentía cierta afinidad con Emerson, le gustase o no. El número de diciembre de 1914 de la publicación metafísica *Nautilus* incluía toda una página dedicada a publicitar un calendario de citas de Emerson.

«El secreto es la respuesta a todo lo que ha existido, a todo lo que existe y a todo lo que existirá.» Esta cita que Byrne atribuye a Emerson está colocada al final de *El secreto*. Es una frase esquiva. Mi propia búsqueda de palabras en *Naturaleza, Essays, first series* (que incluye «Confía en ti mismo»), *Essays second series, Poems, May day,* cartas completas, *La conducta de la vida* y *Representations* no encuentra nada que se parezca remotamente. Una búsqueda en sus ensayos (aunque no en sus conferencias o sus diarios) tampoco arrojó ningún resultado. Compruébalo personalmente en www.walden.org/Institute/thoreau/about2/E/Emerson_Ralph_Waldo/concordan/. Por supuesto, mi búsqueda se circunscribió a los títulos más conocidos, accesibles y populares; podría encontrarse en algún otro menos conocido.

¿Por qué importa si Emerson dijo esa frase o no? Porque esa frase y su autoría no paran de repetirse mecánicamente a lo largo y ancho de Internet y en otras publicaciones como una manera de dar validez a *El secreto* (aunque no recibió ese nombre hasta muy recientemente), en virtud del «hecho» de que Emerson lo conocía y creía en la ley de la atracción. La atribución de citas es un problema con el que llevan tiempo enfrentándose editores y expertos. Como no soy experta en Emerson, era importante encontrar a un especialista que pudiera confirmar o negar si Emerson dijo en alguna ocasión estas palabras.

Lawrence Buell, profesor de literatura norteamericana en Harvard, es autor, entre otros títulos, de *Literary transcendentalism* (1973), *New England literary cul-*

ture (1986) y *Emerson* (2003). Con este último ganó el premio Warren-Brooks de 2003 a la crítica literaria más sobresaliente. En un correo electrónico de mayo de 2007, Buell escribió: «Creo que sí se trata de una cita auténtica de Emerson, pero no puedo identificar a bote pronto su procedencia».

Otros, como Joel Myerson, no están tan seguros. Es importante conocer un poco sus impresionantes credenciales para establecer su fiabilidad. Myerson es profesor emérito distinguido y profesor eminente de investigación en el departamento de inglés de la Universidad de Carolina del Sur. Es doctor en Filosofía por la Northwestern University. Sus áreas de especialización incluyen a Ralph Waldo Emerson y el trascendentalismo.

El profesor Myerson ha escrito, publicado y ha sido coautor y coeditor de cincuenta libros, incluidas las biografías descriptivas fundamentales de Emily Dickinson (1984), Emerson (1982 y 2005), Fuller (1978), Theodore Parker (1981) y Walt Whitman (1993); recopilaciones de los escritos de Emerson que incluyen *Antislavery writings* (1995), *Selected letters* (1997), *Later lectures* (2001) y *Selected lectures* (2005) y *Transcendentalism: A reader* (2000), *The transcendetalists: A review of research and criticism* (1984), recopilaciones de ensayos sobre Emerson (1982, 1983, 1992, 2000, 2003 y 2006) y el trascendentalismo (1982), y *The Emerson brothers: A fraternal biography in letters* (2005). También ha publicado numerosos artículos en publicaciones académicas, entre ellas *American Literature, American Transcendental Quarterly, Emily Dickinson Journal, Thoreau Society Bulletin, Walt Whitman Quarterly Review* y muchas otras.

El profesor ha presentado ensayos, presidido sesiones en asambleas de la Asociación de Literatura Norteamericana, la Asociación para la Edición Documental, la Asociación Australiana y Neozelandesa de Estudios Norteamericanos, la Sociedad Bibliográfica de Norteamérica, la Sociedad Ralph Waldo Emerson, la Sociedad Thoreau, y en universidades de todo el mundo. Ha recibido asignaciones y becas de investigación de la Sociedad Filosófica Norteamericana, la Fundación Nacional para las Humanidades, la Fundación Guggenheim y el Comité de Humanidades de Carolina del Sur. Cuatro de sus libros han sido elegidos por *Choice* como obras académicas destacadas del año. En el año 2000 recibió el Distinguished Achievement Award de la Sociedad Ralph Waldo Emerson, y en 2004 la Sociedad Thoreau le otorgó su máximo galardón, la medalla de la Sociedad Thoreau.

Podría añadir más detalles sobre la distinguida carrera del profesor Myerson, pero baste decir que la versión inacabada de su biografía profesional aquí reseñada demuestra que es uno de los especialistas más preeminentes de Estados Unidos, algo sobre lo que no está de más insistir. Cuando le envié un correo electrónico sobre el tema de la cita de Emerson a primera hora de la mañana, él respondió al cabo de una hora de la siguiente manera: «He revisado las concordancias en las obras de Emerson, sus conferencias y diarios, y no consigo encontrar la cita que envió. Lo más parecido que he podido encontrar es esto: "Conocemos la respuesta que no deja lugar a dudas", que pertenece al ensayo "Success", en la edición 1903-1904 del centenario de las obras de Emerson publicada por Houghton, Mifflin, vol. 7, p. 307. Como usted sabe por sus búsquedas, en Internet hay muchas citas "de Emerson" sin atribución y la mayoría de ellas no son suyas».

De acuerdo, entonces ¿qué dijo Emerson en realidad? En su ensayo «Success», que aparece en *Society and Solitude* (1870), escribió: «La confianza en uno mismo es el primer secreto del éxito, la confianza en que si tú estás aquí es porque aquí te colocaron las autoridades del universo, y con un motivo, o con una tarea rigurosamente asignada, y mientras te esfuerces en tu cometido te sentirás bien y tendrás éxito».

El ensayo de Emerson «Confía en ti mismo» podría ser considerado en términos generales como una forma de la ley de la atracción en cuanto a que requiere que uno haga algo por sí mismo al depender de su «hombre interior». Los siguientes pasajes, ambos de «Confía en ti mismo», son una buena indicación de la filosofía trascendental básica de Emerson.

Confía en ti mismo: cada corazón vibra con esa cuerda de metal. Acepta el lugar que la divina providencia ha encontrado para ti, la sociedad de tus contemporáneos, la conexión de los acontecimientos. Los grandes hombres así lo han hecho siempre y se confiaron como niños al genio de su tiempo, traicionando su impresión de que lo absolutamente íntegro estaba asentado en sus corazones, trabajando con sus manos, predominando en todo su ser. Y ahora somos hombres y debemos aceptar el mismo destino trascendental con el juicio más alto; y no menores de edad ni inválidos en un rincón protegido, ni cobardes que huyen ante una revolución, sino guías, redentores y benefactores que obedecen al esfuerzo Todopoderoso y avanzan en medio del Caos y la Oscuridad.

Debo hacer todo lo que me importa, no lo que la gente piensa. Esta norma, igual de ardua en la vida real que en la intelectual, puede servir para la plena distinción entre grandeza y bajeza. Aún resulta más difícil porque siempre te encontrarás con aquellos que piensan que saben mejor que tú cuál es tu deber. En el mundo es fácil vivir de acuerdo con la opinión del mundo; en la soledad es fácil vivir de acuerdo con nuestra propia opinión; pero el gran hombre es aquel que en medio de la multitud mantiene con perfecta gentileza la independencia de la soledad.

Howard P. Segal, profesor de Historia en la Universidad de Maine, es un experto en el utopismo estadounidense (que incluye a los trascendentalistas) y es autor de *Technological utopianism in American culture* (1985), *Technology in America: A brief history* (con Alan Marcus, 1989 y 1999) y *Recasting the machine age: Henry Ford's village industries* (2001). Segal dice: «Emerson, como seguramente usted sabe, no era un bobo romántico sino un pensador nada sentimental; optimista, es cierto, pero no un "pensador positivo" de tercera. No era ningún Norman Vincent Peale, por ejemplo».

Un breve vistazo a la vida de Emerson, que estuvo llena de tragedia personal y triunfo intelectual (fue un popular orador y un intelectual público de su tiempo), muestra cómo tuvo que convertirse en un pragmático. Nació en 1803, el mediano de cuatro hermanos, hijo de un ministro conservador de la Iglesia unitaria y de una madre devota. Su padre murió cuando Emerson sólo tenía ocho años. También perdió a todos sus hermanos, a su primera mujer, Ellen Tucker, y a su hijo mayor, Waldo, de sólo cinco años.

Emerson estudió en la Universidad de Harvard,

pero su trabajo allí se vio limitado por problemas de visión. Finalmente fue ordenado ministro de la Segunda Iglesia en Boston, en 1829, pero renunció cuando murió su primera mujer en 1832. Viajó por toda Europa durante un tiempo y más tarde volvió a Nueva Inglaterra, donde conoció a Lidia Jackson con la que se casó en 1835. Se trasladaron a Concord, Massachussets, y formaron una familia. Concord se convirtió en el centro del movimiento trascendental. Emerson pudo ganarse bien la vida escribiendo y dando conferencias. Entre 1845 y 1850 dio muchas sobre «la utilidad de los grandes hombres», tema que luego se publicó en 1850 como *Representative man*. En 1851 desarrolló otra nueva serie de conferencias que se publicaron en 1860 como *The conduct of life*.

Ralph Waldo Emerson se convirtió en el hombre de letras más famoso de Estados Unidos, y se consolidó como un poeta prolífico, ensayista y conferenciante y un defensor de las reformas sociales, sobre todo de la reforma de la esclavitud. Sin embargo, se mostraba escéptico con respecto a los bienhechores profesionales. Para Emerson, todas las cosas existen en un incesante flujo de cambio, y «el ser» está sujeto a constantes metamorfosis. Pero esto no quiere decir que él creyera en la ley de la atracción o que lo semejante atrae a lo semejante. De hecho, los expertos aseguran que su pensamiento en los últimos años se movió en realidad desde las ideas de unidad hasta el *equilibrio de los opuestos*. Sin embargo, a pesar de algunos cambios en su filosofía, Emerson siempre defendió que, a través de su intuición, el individuo puede descubrir toda la verdad y la experiencia, el inconformismo y la capacidad de alcanzar el nivel más elevado de conciencia. Una idea que influyó en otros escritores como Henry David Thoreau y Walt Whitman. Quizá la sospecha de que Emerson conoció *el secreto* proviene de que creía en la *autodeterminación*; pero este concepto no equivale a imaginarse que uno es rico o famoso.

El siguiente pasaje de «Confía en ti mismo» describe mejor la visión que tenía sobre el individuo y su capacidad de actuar. (La cursiva es de la autora.)

Hay un momento en la educación de todo hombre en el que llega a la convicción de que la envidia es la ignorancia; la imitación es el suicidio; de que debe aceptarse para lo bueno y para lo malo como su destino; de que el universo entero está lleno de bondad, *ningún grano de nutritivo maíz puede llegar a él si no es a través del esfuerzo volcado en el terreno que se le ha dado para cultivar. El poder que reside en él es nuevo en la naturaleza, y nadie más que él conoce qué es lo que puede hacer, ni él lo sabe hasta que lo haya intentado.* No es por nada que una cara, un carácter o un hecho le produce a él tanta impresión y a otro ninguna. Esta impresión en la memoria no carece de armonía preestablecida. Fijó la vista donde iba a caer un rayo; para que pudiera ser testigo de dicho rayo en concreto. Nosotros apenas podemos expresarnos, y estamos avergonzados de esa idea divina que cada uno de nosotros representa. Se puede confiar en ella con seguridad, pues es proporcionada y da buenos resultados, para que pueda ser impartida fielmente, pero Dios no quiere que su obra sea expresada por cobardes. *El hombre se siente aliviado y alegre cuando ha puesto el corazón en su trabajo y lo ha hecho de la mejor manera posible; pero lo que él haya dicho o hecho de manera diferente no le dará paz.* Es una liberación que no libera. En el intento su genio le abandona; ninguna musa se hace su amiga; ninguna invención, ninguna esperanza.

En último término se puede afirmar con seguridad que Beethoven, Shakespeare y Emerson fueron hombres optimistas, pero también realistas, que trabajaron duro, cada uno en su oficio. Todos ellos, a su manera y dentro de los límites de la época que les tocó vivir, intentaron encontrar un significado en la vida y la humanidad. Ser filosófico, sin embargo, no implica creer específicamente que los pensamientos crean la realidad. La enorme obra que dejaron estos tres hombres pone de relieve, no obstante, que ellos comprendieron que el pensamiento, cuando va acompañado de las obras y es bendecido por el talento, crea arte y belleza.

8

HOMBRES QUE CAMBIARON UN SIGLO: THOMAS EDISON, WINSTON CHURCHILL Y ALBERT EINSTEIN

En *El secreto* aparecen mencionadas o citadas directamente varias de las figuras más significativas del siglo XX con la intención de inducir a la gente a creer que conocieron y utilizaron la ley de la atracción. Entre ellos se encuentran tres hombres que cambiaron la sociedad por medio de inventos prácticos, el servicio a su país y la ciencia: Thomas Alva Edison (1847-1931), el inventor estadounidense que creó el primer laboratorio de investigación industrial y desarrolló el fonógrafo y la luz eléctrica, entre otras cosas; Winston Churchill (1874-1965), el estadista y primer ministro británico que se puso al frente del esfuerzo militar del Reino Unido durante la segunda guerra mundial; y Albert Einstein (1879-1955), físico teórico nacido en Alemania, famoso por desarrollar la teoría de la relatividad y otros descubrimientos en su especialidad.

Se podría llenar una biblioteca con los libros que se han escrito sobre estos tres hombres; los estudiosos e historiadores han hecho carrera estudiando sus vidas. En lugar de resumir sus vidas o analizar detalles biográficos, he intentado utilizar aspectos concretos de sus biografías, además de sus propias palabras, que revelan sus creencias en lo que se refiere a la ley de la atracción. Mi conclusión, basada en la investigación, es que resulta dudoso asegurar que alguno de los tres creyera en la idea de que los pensamientos manifiestan objetos y hechos en sentido metafísico. Los tres fueron hombres de su tiempo, que pensaron y trabajaron, con debilidades y flaquezas. Y a veces se equivocaron. Le corresponde al lector curioso investigar con más detalle sus vidas y ver si coincide conmigo. Hay una gran cantidad de material disponible; existen varias biografías recomendadas enumeradas en la sección de lecturas adicionales.

Sin luz al final del túnel: Thomas Alva Edison

Como inventor, Thomas Edison fue prolífico; solicitó y consiguió 1 093 patentes durante su vida, aunque sus biógrafos discuten cuántas fueron resultado de su genio singular o de los ayudantes que trabajaban en su laboratorio de investigación (un concepto que él también inventó y que todavía se utiliza en la actualidad, tanto en las universidades como en la industria). Fue el primero en inventar la bombilla eléctrica, y desarrolló lo que llegó a convertirse en un sistema de distribución eléctrica que posibilitó que las ciudades pudieran hacer llegar energía a multitud de hogares y empresas simultáneamente.

Su famosa testarudez e inflexibilidad le arrojaron a la pérdida de negocios y de dinero. Edison tenía tendencia a aferrarse a sus ideas; estaba tan convencido de su superioridad que a veces permanecía ciego ante las oportunidades y bloqueado ante otros puntos de vista, con frecuencia mejores y más comerciales. Sus pensamientos, positivos y negativos, le llevaron a la fortuna pero también al fracaso. Por ejemplo, Edison pensaba *de forma muy negativa* sobre las innovaciones tecnológicas a las que veía como una amenaza para sus inventos y, por consiguiente, para su negocio. Y su obstinado positivismo en lo referente a algunas de sus ideas no le funcionó siempre bien, paradójicamente. He aquí dos buenos ejemplos.

En primer lugar, Edison estaba *convencido* de que la corriente continua era una manera de distribuir la electricidad mejor que la corriente alterna, desarrollada por Nikola Tesla, y utilizada por su rival, George Westinghouse. Quizá el caso de Edison demuestre que el pensamiento positivo no funciona, sobre todo porque su argumento en contra de la corriente alterna propició el desarrollo de una silla eléctrica eficiente; el inventor pacifista recomendó la corriente alterna de Westinghouse como la manera más limpia de matar a un hombre. Se pueden leer los informes detallados de su intento de formar una compañía eléctrica, y la controversia sobre la silla eléctrica, en los más de sesenta libros que se han escrito sobre Edison. Pero, en resumidas cuentas, el ayuntamiento de Nueva York prefirió la corriente alterna antes que la continua porque se podía trasmitir más fácilmente, podía alcanzar un voltaje más alto y podía distribuirse a través de cables más delgados y económicos. De hecho, la corriente alterna es la que se utiliza hoy en Estados Unidos. Finalmente, Edison perdió el control de la compañía que sigue llevando su nombre, Consolidated Edison, o ConEd.

En segundo lugar, Edison desarrolló el sistema de registro de sonido, primero con el fonógrafo de cilindro y más tarde con la grabación en disco. Inventó y fabricó sus propios gramófonos, que sólo podían reproducir discos Edison (éstos, a su vez, sólo podían ser reproducidos en gramófonos Edison). En cambio, otras compañías discográficas estadounidenses, Victor y Columbia, fabricaron discos (llamados «de 78» porque giraban a 78 rpm) que podían ser reproducidos en los aparatos de ambas compañías. Concretamente los fonógrafos Edison utilizaban agujas verticales mientras que Victor y Columbia tenían agujas laterales. Los discos de Edison, además, tenían un grosor de 1,27 cm; eran mucho más gruesos que los de otras compañías ya que creía que debían soportar la caída desde un segundo piso sin romperse. Yo personalmente he sido testigo de una prueba semejante y certifico que es cierto. Los discos Edison *son* prácticamente irrompibles.

Sin embargo, puede que no apetezca escuchar lo que está grabado en ellos; y eso se debe a que el otro problema de los discos Edison era lo limitado de su oferta. Sólo grababa la música que le gustaba (popular pero reducida), y perdió mucha cuota de mercado por ello. Un ejemplo clásico: Edison apenas grabó jazz ni grupos afroamericanos. En cambio, otras compañías vieron que había un mercado para la música afroamericana, no sólo entre la comunidad negra, sino también en la blanca. La compañía de Edison grabó a poquísimos artistas de color. Así que, por mucho pensamiento positivo que empleara, Edison no consiguió que la gente comprara una música que no le apetecía escuchar.

La ironía final en cuanto a su compañía discográfica fue la resistencia que opuso Edison a la grabación eléctrica con micrófonos (¡que era una continuación directa de un principio de la electrónica que él había desarrollado!). En 1925 y 1926 el resto de compañías importantes de la época se pasaron a la grabación eléctrica, pero él se negó. Para cuando admitió la derrota, en 1928, y la adoptó, ya era demasiado tarde a causa de la Depresión. En poco tiempo Edison dejó por completo el negocio de la grabación y producción discográfica. Esto demuestra que por mucho que Edison creyera que algo era cierto, eso no se convirtió en una realidad.

Las creencias religiosas y espirituales de Edison rayaban en lo metafísico, pero no creo que esto pruebe su fe en la ley de la atracción. También le interesaba de manera superficial el ocultismo y en 1920 intentó inventar un artilugio, que no funcionó, para comunicarse con los muertos. Se cree que se trataba de un teléfono dotado de un auricular muy potente. Edison fue embaucado por un mago, Berthold «Bert» Reese, a quien conoció a través de su amigo Henry Ford (para más información sobre Ford véase capítulo 9). Los trucos de Reese incluían falsas exhibiciones de percepción extrasensorial. La insistencia de Edison en afirmar que Reese era de fiar, un auténtico adivino de los pensamientos, llevó al periodista del *New York Times* Edward Marshall a escribir un extenso artículo el domingo 13 de noviembre de 1910, y un segundo artículo ilustrado una semana después, en el que explicaba cómo Reese podía haber realizado sus trucos.

Sin embargo y a pesar de las protestas de Edison que aseguraba lo contrario, finalmente se demostró que era un estafador y un animador.

Por lo que respecta a otras creencias religiosas, Edison oscilaba entre el ateísmo y la fe en Dios. En 1911 le contó a Edward Marshall, que entonces escribía para *The Columbian Magazine*, lo siguiente:

Nunca he negado la Inteligencia Suprema. Lo que he negado, y lo que mi razón me empuja a negar, es la existencia de un ser entronizado sobre nosotros como un dios, que dirige con detalle nuestros asuntos mundanos, que nos contempla, castiga y recompensa como lo harían jueces humanos. No quiero que el público piense que niego el mérito de los grandes maestros morales del mundo, Confucio, Buda, Cristo. Ellos fueron grandes hombres, verdaderamente maravillosos. Sus enseñanzas se resumen en la regla de oro, y cualquier hombre que la siga será mucho más enaltecido y mucho más feliz que cualquiera que no lo haga. Pero la adoración a un dios individual no es un detalle ineludible para seguir la regla de oro.

Un hombre no es un individuo; es una vasta colección de miríadas de individuos, como en el caso de una ciudad. La célula, diminuta y poco conocida, es el único y auténtico individuo. Un hombre está formado por muchos millones de células. Su inteligencia está formada por la inteligencia combinada de todas ellas, tal como una ciudad está formada por la inteligencia combinada de sus habitantes. Al no ser, en efecto, un individuo, ¿cómo podría él ir al cielo o al infierno como individuo, recibir un premio o un castigo, después de que la muerte haya provocado la separación de sus células y la difusión de su inteligencia colectiva?

Puede que Edison se dejara llevar por su curiosidad por lo paranormal, pero pasó más tiempo dirigiendo a sus ayudantes de Menlo Park, Nueva Jersey, y descubriendo maneras de hacer dinero con sus patentes del que empleó pensando en positivo sobre ello. Creía firmemente en el esfuerzo como la manera de conseguir el éxito. Según su biógrafo Neil Baldwin (*Edison: Inventing the century,* 1995), Edison atribuía todos sus logros al esfuerzo. Baldwin describe cómo Edison solía recibir cartas de muchísimas personas que le preguntaban por el secreto de su éxito. Edison respondió a una de ellas: «Trabajo dieciocho horas al día; lo llevo haciendo desde hace cuarenta y cinco años. Esto es el doble de lo que trabaja la mayoría de los hombres... Y puedo hacerlo porque como y duermo muy poco, y llevo ropa que no me aprieta las venas lo más mínimo».

Edison también es famoso por su ocurrencia «El genio es un uno por ciento inspiración y un noventa y nueve por ciento transpiración», citada en una entrevista publicada en un número de 1932 de *Harper's Monthly*. Otras citas verificables, cuidadosamente investigadas por George S. Bryan en *Edison: The man and his work* (1926), reflejan la postura sobre su éxito y creatividad. Algunas rayan en lo metafísico. Por ejemplo, estas citas de una entrevista hecha por W. P. Warren, «Edison on inventors and inventions», publicada en *Century Magazine,* en julio de 1911: «La imaginación suministra las ideas, y el conocimiento técnico las saca adelante». «Siempre me mantengo a unos pocos metros de la superficie de la tierra. Por lo menos nunca dejo que mis pensamientos se eleven por encima del Himalaya.» «La ciencia no puede llegar a ninguna otra conclusión que la de que existe una gran inteligencia que se manifiesta en todos los lugares.»

A pesar de la caprichosa predilección de Edison por lo mágico y lo misterioso, y sus cambiantes opiniones sobre Dios y la vida futura, su trabajo real, que era inventar productos que le reportaran dinero gracias a su utilidad general, nos ofrece la comprensión más nítida del hombre. Su capacidad para trabajar más y durante más tiempo que la mayoría de la gente le dio una gran ventaja en la batalla por el éxito.

Winston Churchill, estadista y escéptico

Winston Churchill fue un hombre complejo cuya vida ha sido narrada con detalle, tanto por el propio Churchill como por numerosos biógrafos. Winston era hijo de Randolph Churchill, un político conservador, y Jennie Jerome, hija del financiero neoyorquino Leonard Jerome. Asistió al Royal Military College, fue miembro del ejército británico y luchó en la India y Sudán. Mientras estaba en el ejército, trabajó como corresponsal de guerra para *The Daily Telegraph*. Abandonó el ejército en 1899 y se hizo corresponsal de *The Morning Post*. Mientras informaba sobre la guerra de los bóers, fue secuestrado y ocupó los titulares de prensa británicos cuando consiguió escapar. En 1900 escribió un libro sobre dicha experiencia llamado *London to Ladysmith*. Churchill fue un autor muy prolífico y entre sus obras hay muchas sobre la historia de Inglaterra y del mundo, por las que ganó el premio Nobel de Literatura en 1953.

Churchill entró en política en 1900 y continuó dedicado a ella durante muchos años en diferentes puestos y partidos, cambiando su afiliación de la derecha a la izquierda para volver más tarde a la derecha, detalles éstos que pueden encontrarse en cualquiera de sus muchas biografías. También publicó más libros. Tras la subida de Hitler al poder en Alemania en 1933, Churchill defendió el rearme y se opuso a la política de apaciguamiento del gobierno conservador. En 1939, su opinión de que Reino Unido y Francia debían sellar una alianza militar con la Unión Soviética provocó gran controversia en su país.

Para abreviar, Neville Chamberlain decidió dimitir como primer ministro en medio de fuertes críticas a su política y el 10 de mayo de 1940 el rey Jorge VI nombró a Churchill primer ministro. Ese mismo día, el ejército alemán comenzó su ofensiva en el frente occidental y dos días más tarde invadía Francia. Los historiadores dicen que la capacidad de Churchill de levantar el ánimo de la población británica mediante discursos cuidadosamente preparados ayudó a liderar la marcha de su país hacia la victoria. Le gustaba beber, sobre todo whisky, y tenía tendencia a sufrir ataques de depresión, una característica que nadie asociaría con un practicante del pensamiento positivo.

El sitio web de *El secreto* dice que Churchill es un «maestro» de la ley de la atracción porque creía que nunca había que rendirse y cita su afirmación de que «los imperios del futuro son los imperios de la mente». Pero no deberíamos confundir la fe de Churchill en el poder de la inteligencia y de la razón con el pensamiento positivo. Dada la vida intelectual más bien pragmática de Churchill, parece realmente extraño que él hubiera podido decir «a cada paso creamos nuestro propio universo», una cita que aparece tanto en el libro como en el DVD. ¿Realmente Churchill creía esto? Pues resulta que sí que escribió esta frase; pertenece a uno de sus libros autobiográficos, *My early life: 1874-1904*, publicado originalmente en 1930, reeditado una primera vez en 1958 por Charles Scribner's Sons y una segunda, en 1996, por Touchstone, propiedad de Schuster and Schuster, editora de *El secreto*. El contexto de la cita (que aparece en la página 117 de la edición de Touchstone) es muy esclarecedor y pone en evidencia que fue utilizada de forma equivocada en el libro de Byrne.

Es absurda la idea de que lo único cierto es lo que comprendemos, y todavía más idiota es la noción de que las ideas que nuestra mente no puede conciliar son mutuamente destructivas. En efecto, nada podría ser más repulsivo, tanto para nuestras mentes como para nuestros sentimientos, que el espectáculo de cientos de millones de universos, pues según dicen ahora eso es lo que hay, dando vueltas todos juntos eternamente sin ningún motivo bueno o racional detrás. Por consiguiente, desde muy joven decidí creer en lo que yo quería creer, y al mismo tiempo dejar a la razón seguir sin ataduras por cualquier camino que ella fuera capaz de tomar.

Algunos de mis primos que tenían la gran ventaja de una educación universitaria solían tomarme el pelo con argumentos para demostrar que nada tiene una existencia, excepto lo que pensamos de ello. Toda la creación no es más que un sueño; todos los fenómenos son imaginarios. A cada paso creamos nuestro propio universo. Cuanto más fuerte es tu imaginación, más completo será tu universo. Cuando dejas de soñar, el universo deja de existir. Estas divertidas piruetas mentales sirven para jugar. Son totalmente inofensivas y perfectamente inútiles. Yo les advierto a mis lectores más jóvenes que se las tomen como un juego solamente. Los metafísicos tendrán la última palabra y te desafiarán a refutar sus absurdas proposiciones.

En *Winston Churchill* (2002) su autor, John Keegan, ayuda a aclarar las cosas en el tema de las creencias espirituales de Churchill. Dice que éste tenía un profundo sentido moral y unos profundos sentimientos espirituales, pero ninguno de ellos tenía una base metafísica. Keegan cree que si se le hubiera forzado a desvelar el origen de su espiritualidad, él podría haber dicho que provenía de «universales históricos» de la tradición humanista, rudimentos religiosos que eran convencionales y heredados de su familia, e influencias de piedad y bondad de su «querida niñera, la señora Everest; el código escolar del juego limpio;

y la ética de la hombría aprendida en el Royal Military College».

Albert Einstein, no muy atractivo

Rhonda Byrne escribe que «Einstein sabía mucho sobre el secreto» (según parece no era lo bastante listo como para saberlo todo). Einstein es una figura que ha alcanzado el estatus de culto, tanto en el mundo científico como en la cultura popular. Recientemente ha llegado a las librerías una nueva y voluminosa biografía, *Einstein: His life and universe*, de Walter Isaacson, y se ha vuelto a editar otra clásica de 1971, del fallecido Ronald Clark, *Einstein: The Life and times*, que se suman a la ya impresionante lista de libros y artículos que se han escrito sobre el físico teórico y matemático. Todo el mundo, desde las estrellas de rock hasta los mecánicos o los productores de televisión, han asumido las ideas de Einstein abriendo así la puerta a posibles interpretaciones erróneas. Por este motivo pasaré de puntillas sobre el tema y sólo intentaré responder a una pregunta: ¿creía Einstein que nuestros pensamientos son enviados al universo y tienen como resultado la manifestación de acontecimientos o cosas? Llego a esta conclusión a partir de sus propias palabras, escritas por él o trasmitidas por autoridades de toda confianza. Parece casi seguro que Einstein no creía en la ley de la atracción.

Algunos expertos dicen que creía que la voluntad propia era una ilusión y que estamos a merced de las leyes universales. Si esto es verdad, probablemente también creía que es un ejercicio inútil y vano intentar controlar la realidad por medio de la propia voluntad de nuestros pensamientos dirigidos; en otras palabras, el universo tiene un proyecto y nuestros pensamientos no tienen trascendencia para él. En la revista Time, del 5 de abril de 2007, apareció un extracto de la reciente biografía de Einstein escrita por Walter Isaacson. En él, Isaacson dice que Einstein escribió lo siguiente: «La frase de Schopenhauer "El hombre puede hacer lo que quiere, pero no puede decidir lo que quiere" ha sido para mí una auténtica inspiración desde joven; ha sido un consuelo continuo ante las adversidades de la vida, las mías propias y las de los demás, y una fuente inagotable de tolerancia».

Albert Einstein: The human side (1979), editado por Banesh Hoffman y Helen Dukas, indica que el científico seguramente no rendía culto en el templo de la ley de la atracción.

No me puedo imaginar a un dios personal que influya directamente en las acciones de los individuos o juzgue a las criaturas que ha creado. No puedo hacerlo a pesar de que la causalidad mecanística ha sido, hasta cierto punto, puesta en duda por la ciencia moderna. Mi religiosidad consiste en una humilde admiración por un espíritu infinitamente superior que se revela en lo poco que nosotros, con nuestro débil y transitorio entendimiento, podemos comprender de la realidad. La moralidad es de la máxima importancia, pero para nosotros, no para Dios. ¡La tendencia mística de nuestra época, que se manifiesta particularmente en el desenfrenado crecimiento de la llamada teosofía y del espiritismo, es para mí un síntoma de debilidad y confusión. Puesto que nuestras experiencias interiores constan de reproducciones y combinaciones de impresiones sensoriales, el concepto de un alma dentro de un cuerpo me parece vacío y desprovisto de significado.

En «Science, philosophy, and religion, a symposium», publicado por la Conference on Science, Philosophy and Religion in their relation to the democratic way of life, Nueva York, 1941, Einstein expuso la siguiente opinión sobre la religión.

Una cosa está clara, la doctrina de un Dios personal que interfiere en los acontecimientos naturales nunca podría ser refutada en un sentido real por la ciencia, pues siempre puede encontrar refugio en aquellos dominios en los que el conocimiento científico aún no ha sido capaz de entrar. Pero estoy convencido de que tal comportamiento por parte de los representantes de la religión sería no sólo impropio sino también fatal. Pues una doctrina que sólo es capaz de sustentarse en la oscuridad acabará perdiendo su efecto sobre la humanidad, con un daño incalculable para el progreso humano... Si uno de los objetivos de las religiones es liberar a la humanidad tanto como sea posible de la esclavitud de las ansias egocéntricas, los deseos y los temores, el razonamiento científico puede ayudar a la religión en otro sentido.

La opinión de Einstein sobre la metafísica no era particularmente buena, según el biógrafo ya fallecido Ronald W. Clark. En *Einstein: The life and times* escribe: «Einstein era uno de los "distinguidos profesores europeos en filosofía y ciencia" y, como tal, apoyó en el verano de 1912 la fundación de una asociación científica "muy poco interesada en la especulación metafísica y las denominadas doctrinas metafísicas y trascendentales" y "opuesta a todas las obras metafísicas"». Clark dice que esto pone de relieve la convicción de Einstein de que la relatividad especial no era resultado de la especulación metafísica, sino de pruebas físicas experimentales.

El secreto afirma que Einstein daba las «gracias» a todos los científicos que le habían precedido «cientos de veces al día». Según Clifford M. Will, profesor de física de la cátedra James S. McDonnell en la Washington University de St. Louis, Misuri, Einstein podría haber *dicho* que hacía eso como una manera de reconocer las importantes contribuciones de sus predecesores. «Pero no damos las gracias cien veces al día, ni tan siquiera una vez al día, y además no me puedo imaginar a Einstein haciéndolo», escribió Will en un correo electrónico en abril de 2007. «A [Isaac] Newton (quien ha sido objeto de teorías excéntricas a la manera de *El código Da Vinci* y otros libros por el estilo) se le atribuía la famosa cita de que si había llegado a ver más lejos que los demás era porque se había subido a hombros de los gigantes. Se podría pensar que estaba dando las gracias a sus predecesores a la manera de *El secreto*, pero de hecho estaba insultando también a su rival, Robert Hooke, «quien daba la casualidad de que era jorobado –explica Will–. Así pues, hay que tener cuidado cuando intentas interpretar lo que dicen otras personas.»

Dennis Overbye, que escribe sobre ciencia para el *New York Times* y es autor de *Las pasiones de Einstein* (2001), coincide en que es dudoso que Einstein creyera en la ley de la atracción. «Él pensaba que la idea de un dios personal que está atento a lo que hacemos es un concepto infantil –dice–. Einstein utilizaba mucho la palabra "dios", por eso la gente la confunde con una noción espiritual o convencional. Pero lo hacía como símbolo de la racionalidad y el misterio de la naturaleza, el misterio de por qué está ella aquí y por qué resulta comprensible», explica Dennis. Él sentía el universo como algo mágico, según Overbye, y es justo contemplarlo como un profundo enigma. «La comprensión de ese misterio fue una de las experiencias más profundas para Einstein, pero no como algo que podría echarte una mano y ayudarte a superar el examen de la próxima semana.»

Finalmente, el siguiente fragmento, significativo (y verificable), puede acabar definitivamente con la incógnita sobre si Einstein creía en la metafísica de «pedir, tener fe y recibir». Proviene de la respuesta que dio a un niño que le había escrito en 1936 para preguntarle si los científicos rezan, publicada en *Albert Einstein: The human side*: «La investigación científica se basa en la idea de que todo lo que ocurre viene determinado por las leyes de la naturaleza y por consiguiente esto incluye las acciones humanas. Por este motivo, un científico investigador difícilmente tenderá a creer que los acontecimientos podrían verse influenciados por una oración, es decir, por un deseo dirigido a un ser sobrenatural».

Caso resuelto.

El reto de la precisión

La investigación sobre la caracterización de los personajes de este y otros capítulos de esta sección ha suscitado una alarmante preocupación por la autenticidad y el contexto de las citas que se les han atribuido, no sólo en *El secreto* sino en otros libros metafísicos y en Internet.

Mucho antes de la aparición de la web, que ha hecho que la dispersión de la información, tanto real como imaginaria, se propague a la velocidad de la luz, Thomas Edison ya expresó su enfado porque se le atribuyeran citas que nunca había pronunciado. En el número del 12 de enero de 1901 de *Electrical Review*, el inventor y financiero se quejaba de que: «Lo peor de todo es que estos tipos que se presentan aquí (West Orange, Nueva Jersey) se van sin haberme visto u oído decir una palabra y escriben supuestas entrevistas que me hacen quedar como un estúpido ante aquellos que no me conocen».

Einstein también estaba irritado porque se le citara incorrectamente. En una carta del 22 de febrero de 1946 al periodista Max Brod, citada en *The human side*, el científico se lamenta: «Se han publicado tal cantidad de mentiras descaradas y absolutas falsedades sobre mí que ya estaría muerto hace tiempo si les hubiera hecho algún caso». A Einstein le hubiera divertido ver esta cita que le atribuye *El secreto*: «La imaginación lo es todo. Es el avance de lo siguiente que atraerá la vida». Alice Calaprice, antigua editora interna de Princeton University Press y autora del libro *The new quotable Einstein*, dice que no es así. Ella debería saberlo. La cantidad de escritos y presuntos comentarios de Einstein es enorme; solamente en su archivo de Jerusalén están guardados 45 000 documentos, y Calaprice es la única persona que se ha preocupado por rastrear la procedencia de muchas de las supuestas observaciones de Einstein a base de mucho trabajo y erudición.

«Son inventadas –dice con una carcajada refiriéndose a las frases en cuestión–. Es fácil escribir algo y poner su nombre al final.» Calaprice cita una frase auténtica y verificable sobre la imaginación aparecida en una entrevista llevada a cabo por George Sylvester Viereck, titulada «What life means to Einstein» y publicada en *The Saturday Evening Post* el 26 de octubre de 1929: «La imaginación es más importante que el conocimiento. El conocimiento es limitado. La imaginación rodea el mundo».

Esto nos lleva a preguntarnos qué hubieran pensado Einstein y Churchill, o incluso el propio Emerson, al verse mezclados con los metafísicos de hoy en día con citas que puede que dijeran o no, o de palabras sacadas de contexto. Las dos citas atribuidas a Churchill y Emerson aquí tratadas han sido difundidas en Internet para probar la supuesta fe de estos hombres en la ley de la atracción. Es triste que la gente se crea sin más este tipo de desinformación. Si *El secreto* es auténtico, ¿por qué utilizar una información falsa para ratificarlo?

9

EL NEGOCIO SECRETO DEL DINERO: ANDREW CARNEGIE, WILLIAM CLEMENT STONE Y HENRY FORD

Gran parte de *El secreto* se centra en la adquisición de riqueza, así que es lógico que mencione a unos cuantos magnates de la industria. En los tráilers de promoción del DVD aparecen algunos de antaño mientras esconden *El secreto* a sus empleados y al público en un esfuerzo por quedarse la información únicamente para su propio beneficio. Pero en realidad los tres titanes de los negocios que salen en el libro de Byrne (Andrew Carnegie, William Clement Stone y Henry Ford) no ocultaron para nada sus estrategias de éxito.

De hecho, Stone escribió libros sobre lo que él llamó «la actitud mental positiva». Y se dice que Carnegie fue la inspiración para uno de los libros más vendidos de todos los tiempos sobre el tema, *Piense y hágase rico*, de Napoleon Hill. Según el sitio web de *El secreto*, Carnegie enseñó el secreto a muchos de los «grandes» de la historia. Así que, evidentemente, no escondía nada. Ford por su parte, no fue una persona reservada por naturaleza y hay pocos indicios de que él atribuyera su éxito a la ciencia mental.

Como tantos otros nombres que aparecen destacados en *El secreto*, Carnegie y Stone se citan sólo de pasada. Sin embargo, los dos son importantes en cuanto a los temas de los que habla *El secreto*. Byrne dedica un poco más de tiempo a Ford. Puesto que todos ellos hicieron sus propias fortunas y ya que, según Byrne, si ganas dinero estás utilizando el secreto (tanto si lo conoces o crees en él como si no), merece la pena fijarse en estos hombres para ver lo que creían y cómo consiguieron exactamente sus fortunas: por medio del pensamiento positivo, a través de la acción o de ambas maneras.

Andrew Carnegie, de mendigo a millonario

Durante toda su vida, Andrew Carnegie estuvo interesado por la investigación científica y en 1902 estableció el Instituto Carnegie en Washington. Su misión, siguiendo los deseos de Carnegie, era convertirse en una residencia para científicos excepcionales. Sin embargo, al contrario de lo que afirma Byrne en *El secreto*, resulta dudoso que Carnegie considerase su trabajo como hombre de negocios en términos de mecánica cuántica.

Carnegie nació en 1835 en Dufermline, Escocia, en el seno de una familia de clase trabajadora. Su padre, Will, era un tejedor cualificado que perdió su trabajo en 1847 cuando los telares movidos por máquinas de vapor eliminaron la necesidad de trabajo manual. Como tantos otros escoceses, irlandeses e ingleses desplazados de la época, la familia Carnegie emigró a Estados Unidos y se estableció en Pittsburg. Según un artículo de fecha 12 de agosto de 1919 aparecido en el *New York Times* un día después del fallecimiento de Will Carnegie, el joven Andrew consiguió su primer trabajo como ayudante de bobinas en una industria textil. Tenía trece años. Más tarde se ocupó del mantenimiento de la maquinaria de vapor en otra fábrica y también hizo de recadero y operador de telégrafos. Su trabajo como telegrafista personal y ayudante de Thomas Scott, el supervisor de la división occidental de Pennsylvania Railroad, le cambió la vida. Allí aprendió los intríngulis del negocio de ferrocarriles e hizo importantes relaciones empresariales que le fueron de gran ayuda en el futuro. Parte del éxito de Carnegie se debió a una increíble ética del trabajo; unas inversiones arriesgadas y el talento para manejar dinero le permitieron amasar su fortuna y hacer adquisiciones lucrativas.

Por ejemplo, en 1856 obtuvo un préstamo de poco más de 200 dólares para comprar acciones de la Woodruff Sleeping Car Company. Sólo dos años más tarde ganaba unos 5 000 dólares al año con la compañía. Mientras tanto, siguió trabajando para la Pennsylvania Railroad y finalmente fue nombrado director de su división occidental. Invirtió el dinero que había ganado con la Woodruff Sleeping Car Company, en una compañía petrolífera de Titusville, Pensilvania. Y también en Piper and Schiffler Company, Adams Express Company y Central Transportation Company.

En 1865, Carnegie se jubiló del ferrocarril para dedicarse por completo a la iniciativa empresarial. Fundó la Keystone Bridge Company, y dos años más tarde formó la Keystone Telegraph Company. En 1868, en lo que podría considerarse una visualización al estilo de *El secreto*, Carnegie escribió una carta (o si se quiere una afirmación) en que esbozaba sus planes para el futuro. Éstos incluían retirarse de los negocios a los treinta y seis años, vivir con una renta anual de 50 000 dólares y donar el resto de su dinero para causas benéficas. Pero en 1872 aplazó ese plan en el transcurso de una visita a una planta siderúrgica de Reino Unido. Al darse cuenta del potencial del acero en Estados Unidos, Carnegie tomó la decisión de invertir en la industria estadounidense; en 1875 fundó la Edgar Thomson Works en Braddock, Pensilvania. El primer pedido de la fábrica, como era de esperar, fue de 2 000 raíles de acero para Pennsylvania Railroad.

Carnegie siguió construyendo y comprando fábricas. También empezó a escribir. En 1886 publicó un ensayo en *Forum Magazine* en el que defendía el derecho de los trabajadores a sindicarse y su libro *El triunfo de la democracia*, una celebración del capitalismo, se convirtió en un bestseller. En 1887, Carnegie se enfrentó con uno de sus socios empresariales, Henry Clay Frick, a causa de un sindicato huelguista en una de sus empresas. Carnegie obligó a Frick a llegar a un acuerdo con los empleados y desde entonces fue conocido como el amigo de los trabajadores. Esta opinión se modificó más tarde, en 1892, cuando le ordenó que terminara con otra huelga en una fábrica, contratando a agentes de Pinkerton (una agencia privada de detectives utilizada para sofocar a los huelguistas, entre otras cosas) para que se enfrentaran a tiros con los trabajadores, un tiroteo que duró cerca de doce horas. Los agentes de Pinkerton se rindieron, tuvo que acudir la milicia estatal para recuperar el control de la fábrica y contrataron a esquiroles para volver a abrirla. Ese episodio acabó con la reputación de Carnegie como defensor de los desheredados.

En medio de las huelgas y la vuelta al trabajo, Carnegie escribió *Gospel of wealth* (1889), según el cual los ricos tenían la obligación moral de donar el dinero que ganaban para causas sociales y educativas. Unos años más tarde, en 1901, Carnegie vendió sus participaciones en la industria siderúrgica a J. P. Morgan por 480 millones de dólares y así se convirtió en el hombre más rico del mundo. Pasó el resto de su vida haciendo obras benéficas, como había anunciado unos años antes. En 1902 fundó el Instituto Carnegie para facilitar la investigación en las facultades y universidades estadounidenses. Más tarde creó The Carnegie Endowment for International Peace (1910) y The Carnegie Corporation (1911), que proporcionaban asistencia a facultades, universidades, escuelas técnicas y a la investigación científica. Acabó utilizando gran parte de su fortuna para crear o financiar muchas instituciones filantrópicas y educativas.

Carnegie dedicó tiempo a pensar cómo había podido pasar de ser un chico de bobinas sin estudios a multimillonario mientras muchos de sus contemporáneos seguían trabajando en las fábricas o todavía peor. Según David Nasaw, profesor de historia de Estados Unidos en la cátedra Arthur M. Schlesinger Jr. de la City University de Nueva York y autor de *Andrew Carnegie* (2006), el empresario no era un hombre de fe ni pensaba que un ser supremo era responsable de su fantástica riqueza. Carnegie tampoco creía que su éxito se debía a lo mucho que trabajaba, sobre todo porque había llegado a un punto en que sólo necesitaba dedicar unas horas al día a sus negocios. Carnegie resumió su conclusión en un ensayo de 1906,

«Gospel of wealth II», publicado en *North American Review*: «Las acciones del ferrocarril del primer millonario habrían perdido su valor si las poblaciones por las que pasaban sus ferrocarriles no hubieran crecido de población de manera vertiginosa», escribe Nasaw.

En 1908, Napoleon Hill, un joven periodista independiente que se estaba abriendo camino en la facultad, aseguró que había entrevistado a Carnegie. Según Hill, el famoso magnate le contó «el secreto» de su gran éxito. Este encuentro no se menciona en ninguna de las biografías de Carnegie. Lo comprobé personalmente y el nombre de Hill no aparece. Para el profesor Nasaw no está claro si esa entrevista tuvo lugar o no. «De verdad que no lo sé. El nombre [Napoleón Hill] no sale por ninguna parte en los miles de páginas de correspondencia de Carniege que yo leí o en otros muchos documentos que revisé.» Sin embargo, se sabe que Carnegie recibía visitas en sus últimos años, continúa Nasaw, así es posible que el encuentro se produjera aunque no hayan pruebas. «Mucha gente iba a verle. Era una persona cordial y simpática.» Lo que resulta todavía menos probable es que Carnegie transmitiera a Hill un «secreto» sobre la ley de la atracción porque, según Nasaw, no se ajustaba a la filosofía empresarial del magnate. «Su lema (lo que creía de verdad) era "Todo crece mejor", del filósofo inglés Herbert Spencer (que aplicó la teoría de la evolución a la filosofía)», algo muy diferente de la ley de la atracción, lo semejante atrae a lo semejante, o los pensamientos crean cosas.

Carnegie veía el mundo en términos de leyes evolutivas, otra idea tomada de Spencer que significa que cada generación será más próspera que la anterior; tendrá más dinero, más paz y menos pobreza. «Se puede decir que esto es pensamiento positivo, pero Carnegie no habría utilizado ese término –concluye Nasaw–. Su filosofía no era otra que la que sostuvo Charles Schwab: vigila los costes y los beneficios se cuidarán solos. Si gastas poco podrás ganar dinero en las buenas épocas y en las malas. Él comprendía que nada permanece inmutable y todo cambia, y si quieres ser un buen empresario tienes que mirar hacia delante; lo que es primordial hoy puede no serlo mañana.» En cuanto al resto, Nasaw afirma que Carnegie se sentía con suerte por haberse instalado en Pittsburg en una época en que la ciudad estaba destinada a ser el centro de producción de hierro y acero, y tenía una situación ventajosa como estación terminal de la línea de ferrocarril de este a oeste.

Indudablemente Andrew Carnegie influyó en Hill. Si es verdad que tuvo lugar la entrevista, puede que éste atribuyera a la conversación ciertos significados que no estaban en la intención del propio Carnegie, del mismo modo que un niño queda deslumbrado cuando conoce a su celebridad preferida y piensa que ha establecido una significativa relación personal. Hill mantenía que Carnegie retó al joven escritor a que buscara a quinientos millonarios y descubriera si existía un patrón similar en la manera como se habían enriquecido. Así que Hill, al igual que Byrne, buscó expertos de la época para aprender más sobre cómo habían ganado su fortuna. El resultado fueron dos libros de Hill, ambos publicados mucho después de la muerte de Carnegie, en 1919. El primero, *The law of success*, en 1928, y el segundo, *Piense y hágase rico*, en 1937, que se convirtió en un bestseller.

Lo interesante de *Piense y hágase rico* es el lenguaje que utiliza para explicar una fórmula para el éxito dividida en trece partes; hace referencia a «el secreto» y «el secreto de Carnegie». ¿Cuál es ese secreto según Hill? ¡Una actitud positiva y la ley de la atracción! Por extraño que parezca no aparecen referencias a *Piense y hágase rico* ni en el libro ni en la versión en DVD de *El secreto*, aunque se menciona de pasada en la página dedicada a Andrew Carnegie en el sitio web. *Piense y hágase rico* no ha dejado nunca de editarse desde su primera publicación; ha permanecido desde entonces en diferentes listas de libros más vendidos, tanto en la sección general como en la de negocios, y no ha sido prohibido, enterrado, escondido fuera del alcance de la vista o alejado del público.

Los tráilers del DVD de *El secreto* aseguran que algunos hombres de negocios anónimos pagaron grandes sumas de dinero por el secreto y acordaron que éste nunca sería comunicado al mundo; de hecho en estos avances se dice que fue prohibido en 1933, pero no se explica quién lo hizo o por qué motivo. No he podido encontrar pruebas de que se haya prohibido ninguna obra del Nuevo Pensamiento o el libro *Piense y hágase rico*, aunque hay una historia sin verificar que dice que la iglesia católica censuró *La llave maestra*, de Haanel, en 1933. Al analizar en entregas semanales su temática de aspecto misterioso, Haanel hizo que la información pareciera exclusiva, un habilidoso juego de mercadotecnia. También cobraba una suma considerable por ella, pero evidentemente no era ésta la única fuente de información que existía sobre la ley de la atracción. Cualquiera de los hombres de negocios que pagó por el curso podría haber recurrido a un ejemplar de *La ciencia de hacerse rico*, de Wallace Wattles, o comprado un ejemplar de *Nautilus*, y por mucho menos dinero.

De todos modos, esto es lo que escribe Hill en *Piense y hágase rico*: «Verdaderamente los pensamientos son objetos». «Todo logro, todas las riquezas ganadas, parte de una idea.» «Cuando empiezas a PENSAR en HACERTE RICO, observarás que primero la riqueza es un estado de ánimo, un objetivo firme y poco o ningún esfuerzo.» «El éxito llega a quienes se vuelven CONSCIENTES DEL ÉXITO, mientras que el fracaso les llega a aquellos que regularmente se vuelven CONSCIENTES DEL FRACASO.» (Las mayúsculas son ocurrencia de Hill, quien las utiliza con frecuencia en todo el libro.) Hill es un firme partidario de ponerse manos a la obra. ¡No se admiten soñadores apalancados en el sofá! Se crecía en conferencias y grupos de Mentes Maestras que, según él, se podían utilizar para la resolución de problemas. Cualquiera que haya asistido a una reunión corporativa para hacer una puesta en común puede agradecerle a Napoleon Hill ese privilegio. Es evidente que su libro sirvió de inspiración a gran parte de los que han sucedido a *Piense y hágase rico*. Finalmente, el más famoso aforismo de Hill suena realmente a «pedir, tener fe y recibir»: «Cualquier cosa que la mente del hombre es capaz de concebir y creer, también es capaz de conseguirla con una actitud mental positiva».

El libro de Charles Haanel *La llave maestra*, escrito en 1912, podría haber influido en Hill más que su encuentro con Andrew Carnegie. Según la leyenda, el periodista escribió una carta de admiración a Haanel hacia 1920, alabando el trabajo del autor y señalando lo mucho que había influido en él. No es imposible, y Hill podría haber estado realmente en contacto con la literatura del Nuevo Pensamiento. *Piense y hágase rico* no es tan distinto en lo esencial de *La llave maestra*, o el libro de Wallace Wattles *La ciencia de hacerse rico*, o cualquier otro de esa primera época. Sin embargo, Hill escribe mejor, es más divertido y fácil de leer que Wattles quien, a pesar de la brevedad de su obra (*La ciencia de hacerse rico* es poco más que un panfleto), es pomposo y recargado. *Piense y hágase rico* no está redactado en la jerga metafísica del Nuevo Pensamiento, y eso posiblemente lo hace más aceptable para gente que no quiere que los consejos para hacer dinero se entremezclen con lo oculto o la religión (en el índice del libro no aparecen las palabras «Dios», «ser supremo» o «la Biblia»). *Piense y hágase rico* también tenía a su favor que apareció en el momento oportuno; fue publicado al final de la Depresión, cuando la economía había empezado a mejorar, pero antes de que Estados Unidos entrase en la segunda guerra mundial, por lo que la gente volvía a tener esperanza. El libro tuvo una acogida mayor y más entusiasta que la que tuvieron en su momento los libros más populares de las publicaciones del Nuevo Pensamiento.

La fundación Napoleon Hill sigue propagando la doctrina de *Piense y hágase rico*. Él murió en 1970 a los ochenta y siete años, tras dedicar gran parte de su vida a promocionar su filosofía sobre la riqueza y el éxito. Pero no todo fue de color de rosa para Hill. Antes de escribir su bestseller, perdió todo lo que tenía (junto con los planes para abrir la primera universidad para el éxito del mundo) en la crisis de la bolsa de 1929. Escribió artículos para *Inspiration Magazine* y vendió un programa de «dinamita mental» durante los años siguientes. Escribió y vendió *The Napoleon Hill Magazine*, haciendo publicidad de ella incluso en el *New York Times*. El 4 de diciembre de 1921, un pequeño anuncio impreso prometía «éxito en cualquier empresa» por el precio de una suscripción.

En un artículo en primera página, el *New York Times* del 18 de mayo de 1930 anunciaba que Hill había recibido un interdicto junto con Lester Park y la Corianton Corporation. Los dos vendieron acciones en una compañía organizada para promocionar una película de amor y crimen ambientada en los primeros tiempos de las colonias estadounidenses. Hill promovió la inversión en la compañía cinematográfica, Corianton, entre sus alumnos y clientes en una carta que ensalzaba la experiencia de Park como productor cinematográfico. El vicesecretario de justicia, Abraham Davis, sostuvo que las acciones no tenían que haber sido vendidas al público porque Park nunca había producido una película de éxito, la película no se estaba realizando y las acciones eran propiedad particular de Park y no de la Corianton Corporation.

A pesar de estos contratiempos menores, Hill finalmente escribió y publicó *Piense y hágase rico* en 1937 y comenzó a ganar dinero de nuevo. En la época en que estaba escribiendo su gran obra se divorció de su mujer, Florence, y se casó con otra mujer más joven y guapa, Rosa Lee Beeland. Ella escribió su propio libro, *How to attract men and money*, evidentemente por propia experiencia pues al poco tiempo dejó a Hill llevándose la mayor parte de su dinero tras un acuerdo de divorcio.

Hill finalmente volvió a casarse y pasó el resto de su vida comercializando sus libros de éxito; en esta empresa se ganó el respaldo de otro rico hombre de negocios, William Clement Stone. De hecho Stone estaba tan entusiasmado con Hill que presidió el consejo de la Napoleon Hill Foundation durante más de cuarenta años.

Hill es la única persona que sepamos que ha documentado su reunión con Carnegie, así que sólo podemos servirnos de su informe. Hill fue desde luego muy astuto al esperar a que pasara bastante tiempo de la muerte de Carnegie antes de usar su nombre en relación con su propia obra, haciendo así mucho más difícil de poner en duda su afirmación. ¿De verdad importa? Quizá baste con que Hill se sintió inspirado por la vida y los logros de Andrew Carnegie, un testimonio del perdurable impacto que ha tenido este auténtico Horatio Alger en las ambiciones y aspiraciones de Norteamérica.

William Clement Stone, el discípulo de un pensador

Al comienzo del capítulo de *El secreto* dedicado al dinero aparece una cita de W. Clement Stone en la que dice: «Todo lo que la mente puede concebir se puede lograr». A esto le sigue una historia de Jack Canfield, el magnate de *Sopa de pollo para el alma*, sobre el encuentro que tuvo con el millonario y que le cambió la vida. No hay duda de que Stone creía en la ley de la atracción. Además de ser un astuto hombre de negocios (Stone hizo su fortuna con compañías de seguros), era un gurú del éxito que creía en una actitud mental positiva y la promocionaba. De hecho, desarrolló una segunda carrera profesional como orador motivacional y escritor (escribió con Napoleon Hill el libro *La actitud mental positiva: un camino hacia el éxito*). Juntos también pronunciaron una serie de conferencias llamadas «La actitud mental positiva, la ciencia del éxito», y con Norma Lee Browning escribió *El sistema infalible para triunfar* (1962), además de *The other side of the mind* (1964). Stone fue un tipo duro. Nacido en Chicago el 4 de mayo de 1902, vivió hasta los cien años, una vida que abarca todo un siglo (murió el 3 de septiembre de 2002). Con un aspecto sacado directamente del departamento de reparto de una productora cinematográfica, era un hombre diminuto que lucía un bigotito fino y tenía predilección por las corbatas de lazo: le contó a Sarah Booth Conroy, periodista del *Washington Post*, que tenía 250 modelos distintos; él pensaba que los que llevaban corbatas de lazo eran hombres «llenos de energía y vigor, agresivos y dinámicos. Son los mejores vendedores y empresarios». (¡Eso sí que es un secreto!) El artículo, aparecido el 26 de enero de 1986, era en parte una respuesta a una columna de John T. Molloy en *Success Magazine* sobre cómo vestirse para triunfar en la que decía que la gente no se fía de los hombres que llevan corbata de lazo. Irónicamente Stone había fundado *Success*, pero no despidió a Molloy tras la publicación del artículo. El magnate de los seguros era conocido por su particular sentido de la elegancia, aparte de por las corbatas. Le gustaban los trajes hechos a medida, los chalecos estampados, los tirantes de colores chillones y los zapatos de piel de cocodrilo. Llevaba, además, un reloj de oro con las horas grabadas con diamantes.

Puede que Stone fuera bajo pero tenía una fuerte personalidad. Cuando notaba que la atención de un compañero decaía solía gritar ¡Bingo! para volver a recuperarla. Empezaba cada día con el siguiente mantra: «¡Soy feliz!, ¡Estoy sano! ¡Me siento fenomenal!». De hecho Stone hablaba con signos de admiración gran parte del tiempo. «No se puede ganar una batalla importante si no se pone entusiasmo», le dijo a Forrest Wallace Cato en su última entrevista, posteriormente publicada en *The Register* en agosto de 2006.

La educación de Stone en la dura escuela de la vida fue crucial en la formación de su filosofía vital. Su padre murió cuando él sólo tenía tres años y dejó a la familia arruinada por las deudas de juego. A los seis años, Stone empezó a trabajar como vendedor de periódicos en el South Side de Chicago y a los trece ya tenía su propio quiosco de prensa. Un reportaje del 10 de noviembre de 1963 aparecido en el *New York Times* narra lo que le ocurrió a continuación. Vivió con una familia en Chicago y siguió desempeñando trabajos ocasionales después de que su madre tuviera que empeñar sus joyas y se marchara a Detroit a comprar una pequeña agencia de seguros. Más tarde él la siguió hasta allí y la ayudó a hacer visitas, sin concertar, de puerta en puerta, a los que él llamaba «visitas doradas».

En 1922, con veintiún años y cien dólares en el bolsillo, Stone montó su propia agencia de seguros llamada Combined Registry Company, según el *New York Times*. En tan sólo ocho años había logrado reunir un equipo de ventas de mil «agentes mal preparados», algo que intentó remediar a base de viajar por todo el país y formar un nuevo equipo de trescientos agentes que acabaron por realizar más negocios de los que hacía el personal original, más numeroso. En 1939 Stone traspasó el negocio de registros a Combined Mutual y, en 1947, se integró en la Combined Insurance Company of America, una sociedad anónima. Su compañía conjunta se integró en Ryan Insurance Group en 1982 y cambió su nombre por el de Aon Corporation en 1987. En el libro que escribió con Napoleon Hill describe la que era su manera preferida de adquirir empresas: utilizar el dinero de los demás. Él animaba a sus lectores a hacer lo mismo: «Si no tienes dinero, ¡utiliza el de los demás!». Él también practicaba la actitud mental positiva, por supuesto.

Al igual que Hill, Stone era pragmático con respecto a la actitud mental positiva y la ley de la atracción y su utilidad a la hora de hacer dinero. No la echó a perder, mezclándola con la mecánica cuántica, aunque sí que asoció el éxito con la intervención divina y su propia iniciativa de «yo puedo hacerlo». «Domina el arte de aprovechar al máximo el poder de tu subconsciente por medio de tu mente consciente y ten en cuenta las emociones, los instintos, los sentimientos, las tendencias, los estados de ánimo, la formación de hábitos convenientes y la neutralización o eliminación de los hábitos indeseables», le dijo a Forrest Wallace Cato. Lo que distingue el concepto de Stone sobre el poder de la mente del que aparece en *El secreto* es su insistencia en que para que un pensamiento se con-

300

vierta en una realidad, debe ir acompañado de una acción. No te puedes quedar sentado tranquilamente y tener pensamientos buenos. Debes hacer algo con ellos. «¡Una dedicación constante al estudio, tiempo para pensar y planificar, todo esto seguido de la puesta en práctica! Una vez se tiene la experiencia necesaria en hacer lo correcto de la manera correcta, se consiguen buenos resultados de manera sistemática. Y cuando haces las cosas así, el trabajo se vuelve divertido», explicó Stone a Cato.

Stone donó una parte de su fortuna (aunque no en un porcentaje tan elevado como en el caso de Andrew Carnegie, el magnate del acero) para muchas obras benéficas y causas filantrópicas. El 28 de octubre de 1970, Barbara Campbell, periodista del *New York Times*, acompañó a Stone a un centro de rehabilitación de toxicómanos que él había financiado en el Bronx. La visita incluía acudir a una «barraca de tiro al blanco» y un edificio de apartamentos donde vivía una familia a la que ayudaba dicho centro. Allí conoció a Ángel Sánchez, de diecisiete años, el único de los hijos de esa familia que no había probado las drogas y que tenía un trabajo de media jornada en una oficina de correos. Ángel esperaba acabar sus estudios en el instituto e ir a la universidad. A Stone le gustó y dijo que enviaría al joven algunos libros sobre pensamiento positivo cuando regresara a Chicago.

Stone también se convirtió en una figura destacada durante la investigación sobre unas donaciones para la campaña electoral. Sus contribuciones de más de dos millones de dólares para la campaña de reelección de Richard M. Nixon, en 1972, y para las anteriores salieron a la luz en los debates del congreso tras el caso Watergate como un motivo para establecer límites en los gastos de campaña. Stone también fue sometido a investigación fiscal en 1974 por una cuestión de impuestos federales sobre donaciones. Reconoció que admiraba a Nixon por su determinación para superar sus derrotas en la lucha por la presidencia, en 1960, y en las elecciones a gobernador del estado de California, en 1962. Stone siempre fue un pensador positivo. Ni el mismo Watergate consiguió mermar su fe en la actitud mental positiva. Tanto es así que dio por bueno el escándalo puesto que había permitido que el secretario de justicia presentara cargos contra funcionarios públicos fuera de control, cuando antes de la administración Nixon los casos de corrupción se ocultaban sin más.

Henry Ford y la rueda de la fortuna

Byrne escribe que Henry Ford conoció el secreto y la ley del universo y, según el sitio web de *El secreto*, los aprendió de Andrew Carnegie. Esto resulta bastante irónico pues según los especialistas en Ford, éste apenas sabía leer y escribir, era muy provinciano, mostraba un ingenuo desinterés por el mundo moderno y, para colmo, era un furibundo antisemita a quien Hitler adoraba. Con la ayuda de escritores profesionales, Ford escribió una serie de infames ensayos sobre «el problema judío», ahora reunidos en un libro, por los que todavía hoy sigue gozando del favor tanto de la extrema derecha como de la izquierda radical, al alimentar la tendencia de ambos grupos a echar la culpa de los males del mundo a los judíos y/o a Israel.

Henry Ford nació el 30 de julio de 1863, el mayor de los seis hijos de William y Mary Ford, en lo que ahora es Dearborn, Michigan. La familia tenía una próspera granja y Henry disfrutó de la típica infancia rural del siglo XIX: se levantaba temprano para ayudar en las tareas domésticas y asistía a clase con sus hermanos en una pequeña escuela de una sola habitación. Sin embargo a Henry no le gustaba especialmente la vida en la granja ni el trabajo que implicaba. Estaba mucho más interesado en el trabajo mecánico y además se le daba muy bien. «Ford era un chico de campo que odiaba las labores de la granja pero quería que todos sus empleados fueran granjeros a tiempo parcial. Estaba muy enraizado en la América rural a pesar de su propia contribución al crecimiento de Detroit y otras ciudades industriales», explica Howard P. Segal, profesor de historia en la Universidad de Maine y autor de *Recasting the machine age: Henry Ford's village industries* (2005). Con tan sólo dieciséis años Ford abandonó la granja y se marchó a Detroit en 1879 para trabajar de aprendiz con un mecánico. Permaneció allí tres años y luego regresó a Dearborn, donde se encargó del manejo y la reparación de máquinas de vapor, ayudó en el mantenimiento de la maquinaria agrícola de su padre y procuró evitar las tareas agrícolas que tanto le disgustaban. Tras su matrimonio con Clara Bryant, en 1888, Ford montó una serrería. Pero la industria le atraía y en 1891 se hizo ingeniero con la Edison Illuminating Company. «Su genialidad radicaba en comprender los problemas mecánicos y las soluciones potenciales y en contratar a otros para que llevaran a cabo sus ideas», dice Segal.

De hecho, Ford tenía tanto talento que dos años más tarde fue ascendido a ingeniero jefe, lo que le proporcionó suficiente dinero para experimentar con sus propios motores de combustión interna. En 1896 fabricó un vehículo autopropulsado de cuatro ruedas llamado cuadriciclo. Los coches fueron el siguiente paso en su lista de prioridades y, tras un par de intentos fallidos de crear una empresa automovilística, finalmente lo consiguió en 1903. «Ford se mantuvo tenaz y optimista en cuanto a sus posibilidades de fabricar un coche para el norteamericano medio. Sólo Ransom Olds (de la fábrica Oldsmobile) tuvo ideas parecidas. En cambio, todos los demás pioneros en la fabricación de automóviles sólo buscaban clientes adinerados», escribió Segal en un correo electrónico en abril de 2007. Ford consiguió fabricar un automóvil de precio razonable, el Modelo T, en 1908. Era fácil de manejar, asequible y pronto se hizo omnipresente. Ya en 1918 los coches Modelo T constituían la mitad de todo el parque automovilístico de Estados Unidos.

Para satisfacer la demanda, Ford construyó una gran fábrica con una cadena de montaje en Highland Park, Michigan, en 1910. Cada operario tenía un lugar asignado en la cadena y añadía un solo componente al coche mientras éste se desplazaba por ella hasta el final. (Los coches se siguen fabricando de un modo muy parecido en la actualidad.) La línea de montaje móvil revolucionó la producción automovilística al reducir de modo significativo la cantidad de tiempo y dinero necesaria para fabricar un coche. El disponer de coches más baratos significaba que más personas podrían comprarlos, y esto comportó que la Ford Motor Company fuese durante mucho tiempo la compañía automovilística más grande del mundo.

Según Howard Segal, Ford «no era lo bastante sofisticado como para haber considerado, y mucho menos adoptado, el secreto. Que yo sepa, no hay indicios que permitan pensar lo contrario. Era un mecánico con poca educación que tenía facilidad para la mecánica y la producción». También ganó suficiente dinero para llevar a la práctica sus ideas sobre la cadena de montaje y ésas son las claves para entender el alma de Ford.

También fue un pacifista famoso por organizar un Barco de la Paz con el que intentar detener la primera guerra mundial. Un enredo fallido ampliamente propagado y ridiculizado en su época. «El Barco de la Paz muestra su fe ingenua en la capacidad para prevenir o detener la guerra. Andrew Carnegie tuvo unas inclinaciones parecidas, como también las tuvieron otros estadounidenses prominentes que eran antiimperialistas. Pero Ford era considerado más como un excéntrico con un tornillo flojo (no es mi intención hacer un juego de palabras) que como un serio defensor de la paz», dice Segal. Como parte del plan del Barco de la Paz, Ford prometió «enviar mensajes de radio a los hombres que estaban en las trincheras y, aunque creemos que no habrá nadie que los detenga, los vamos a enviar con una fe tan fuerte que confiamos en que conseguirán llegar a su destino. Las dos notas que sonarán son las de la fe y la persuasión moral», le dijo a un reportero del *New York Times* en un artículo publicado el 28 de noviembre de 1915. El 1 de diciembre de 1915 este mismo diario informó de que La Haya intentaría detener el barco si Ford trataba de entrometerse en la guerra. «En los círculos oficiales holandeses la propuesta de Henry Ford de provocar una huelga en las trincheras fue considerada demasiado absurda como para merecer ser tenida en cuenta. Se pone de manifiesto que cualquiera que intentara fomentar el descontento entre los soldados de cualquiera de los bandos en conflicto sería inevitablemente sometido a arresto y juicio sumarísimo bajo la ley marcial, acusado de fomentar un motín.»

Algo pasó en el primer barco; se rumoreó que habían surgido discusiones entre los pasajeros y también enfermedades, que fueron desmentidas por Ford. Según informó el *New York Times* el 14 de diciembre de 1915, muchos pasajeros sufrieron mareos. El 20 de diciembre el periódico informó de que los despachos enviados a los periódicos de Londres por los periodistas del barco daban la noticia de «alarmantes reyertas» a bordo. Ford incluso intentó echar a los periodistas para que no pudieran informar del descontento reinante. En pocas palabras, el viaje fue un desastre en términos prácticos y publicitarios. Ford volvió solo a un muelle del sur de Brooklyn en otro trasatlántico (no en el Barco de la Paz) después de Año Nuevo, según informó el *New York Times* el 3 de enero de 1916. «Esquivó a los periodistas al atracar el barco..., pero fue descubierto tres horas más tarde en el Waldorf.» Aquella tarde accedió a ser entrevistado y le dijo a un reportero que la expedición de paz no iba a fracasar por los desacuerdos entre los peregrinos a bordo, tal como se había rumoreado.

El 7 de febrero de 1916 anunció sus planes de enviar otro barco, el segundo intento del fabricante de automóviles de detener la guerra. Su capacidad casi ilimitada para financiar tales expediciones, así como para atraer la atención de los medios, nos recuerda mucho al modelo de activista moderno. Resulta difícil detener a un fanático millonario, pero con todo Ford no consiguió realizar sus planes con éxito.

Segal dice que si Ford hubiera creído en la ley de la atracción probablemente no habría difundido propaganda antisemítica que más tarde Hitler volvió a publicar, quizá porque habría previsto que esos pensamientos negativos se volverían en su contra y afectarían a su vida de manera negativa. «A Ford no le gustaban los judíos porque creía que eran belicistas, manipuladores y ajenos», escribe Neil Baldwin en su biografía *Henry Ford and the Jews: The mass production of hate* (2001). Ford era un pacifista que echó la culpa de la primera guerra mundial a los banqueros judíos alemanes. En la década de los veinte publicó *The Dearborn Independent*, en el que se incluían artículos sobre el «problema» judío; éstos están disponibles en un libro titulado *The international Jew: the world's problem*. En 1938, Ford fue el primer norteamericano que recibió una condecoración nazi que se concedía a ciudadanos que no fueran alemanes. (La familia Ford ha acabado con este oscuro legado al renegar de las ideas de Henry Ford y respaldar a Israel y a muchas organizaciones benéficas judías.)

También culpaba a los judíos de la urbanización de Estados Unidos, una situación que irónicamente él mismo ayudó a crear. Ford la consideraba como algo negativo, aunque él durante mucho tiempo renegó de la agricultura y de la vida en el campo. «Intentó invertir esa tendencia con la creación de plantas automovilísticas en diecinueve pequeñas colectividades en un radio de unos 90 kilómetros alrededor de Dearborn, pero estos "pueblos industriales", aunque resultaban lugares relativamente agradables para trabajar si se los comparaba con las enormes fábricas de Ford, no lograron cambiarla –explica Segal–. Ford nunca comprendió la vida urbana del siglo xx y se pasó mucho tiempo refugiado en la pequeña escuela de una sola habitación y en los cantos y danzas coloniales que tenían lugar en Greenfield Village, una comunidad seudohistórica cercana a Dearborn, su lugar de nacimiento y sede de las oficinas centrales de Ford.»

Segal señala que si Ford hubiera conocido y practicado el secreto, tampoco «habría perdido el favor de sus trabajadores y del público (que en un principio lo adoraban), cuando describió la Gran Depresión en la década de los treinta, como un elemento purificador positivo». Finalmente Segal cuenta que «en su madurez Ford dejó escapar a sus magníficos directores, ingenieros y publicistas que tanto habían hecho por convertirlo en un hombre tan rico, poderoso e influyente, y comenzó un incesante declive que duró hasta su muerte en 1947. Seguramente hizo muchos amigos, pero con el tiempo también ganó muchos más enemigos».

Si la confirmación de las creencias de una persona y de su uso de la ley de la atracción consiste simplemente en su éxito en los negocios durante una parte de su vida laboral, entonces Ford cumpliría ese requisito, al igual que Andrew Carnegie y evidentemente Stone, quien creía en el pensamiento positivo de todo corazón. Pero las personas son algo más que la suma de sus éxitos profesionales. Stone fue, a decir de todos, un hombre feliz que estuvo casado con la misma mujer durante casi ochenta años. Carnegie también fue feliz; Ford no tanto. Puede que incluso no estuviera en su sano juicio.

Estos hombres nos dan sin duda lecciones de dedicación, ingenio y pasión, tanto si utilizaron o no una actitud mental positiva para hacer realidad sus aspiraciones. Lo más interesante sobre «los maestros del secreto del pasado» es la manera en que se comparan sus profesiones con los «maestros del secreto de hoy en día». Los primeros fueron inventores, científicos, estadistas, industriales y artistas que enseñaron con el ejemplo, mientras que la mayoría de los maestros vivos de *El secreto* se dedican a enseñar la ley de la atracción en talleres y conferencias.

CONCLUSIÓN:
¿SOMOS UNA SOCIEDAD SECRETA?

Si dejamos aparte la impecable presentación y el excelente marketing, las afirmaciones científicas y la teoría psicológica, al final de todo *El secreto* trata de la búsqueda de la felicidad. Lograrla ha sido la meta de millones y millones de personas de todo el mundo desde el principio de los tiempos. No se trata de un objetivo exclusivamente estadounidense (aunque existen características únicas en la tendencia de este país hacia la felicidad). Y se trata de un objetivo válido del que no hay que avergonzarse.

La postura de *El secreto* sobre el tema está claramente dirigida a personas de clase media, e incluso a gente adinerada, que creen que deberíamos ser más felices y están convencidas de que si pudiéramos reunir todos los detalles que forman una vida perfecta (mucho dinero, una gran casa, un coche mejor, una distinguida carrera profesional, un vestuario digno de *Vogue*, el reconocimiento público, un romance de cuento de hadas) estaríamos satisfechos. Según parece, éstas son las cosas que nos hacen felices, o al menos nos ofrecen un placer transitorio, y éste es el motivo por el que les concedemos tanta importancia. La idea de que uno pueda hacer acopio de esos artículos sencillamente por pensar en ellos resulta atractiva en un mundo en el que muchos de nosotros vamos conduciendo, enviamos mensajes por el móvil, leemos el periódico, desayunamos y escuchamos nuestra música favorita, todo al mismo tiempo. Estamos ocupados. En serio, ¿quién tiene hoy en día tiempo para *buscar* la felicidad? Sería mucho más cómodo si ésta llegara mientras soñamos.

Por supuesto las cosas no son así de sencillas por dos motivos. En primer lugar, la ley de la atracción defraudaría y dejaría de lado a muchos. Esta ley no va a funcionar en todos los casos; por mucho que una persona tenga pensamientos positivos es posible que no consiga lograr el objeto o el resultado deseado. En segundo lugar, conseguir algo «a cambio de nada» no resulta especialmente satisfactorio o meritorio a largo plazo. A un viejo amigo mío, un abogado que se dedicaba a defender a los discapacitados, le gustaba decir: «Claro que puedo ofrecer asesoría legal gratuita, pero recuerda, eso vale justamente lo que pagas por ello. Nada». Un regalo ofrecido por un amigo o un familiar tiene las propiedades de un talismán gracias a los sentimientos del que lo ofrece, no por el objeto en sí. Un dólar que te encuentras en la calle es un descubrimiento afortunado; el dinero que se gana por un trabajo bien hecho tiene más valor que el nominal. Si no te esfuerzas por conseguir algo, ¿cuánto lo valoras en realidad?

La auténtica clave estaría en involucrarse en la *persecución* de la felicidad antes que en su conquista. Éste es un tema que se ha ido desgranando a lo largo del libro y que muchos especialistas aquí presentados han expuesto. Concentrarse en la idea de ser feliz es menos efectivo que trabajar en las cosas que te gustan, que te suponen un reto, que te proporcionan una profunda satisfacción. Hacer aquello que quieres puede que no siempre dé como resultado enormes beneficios económicos, pero produce una satisfacción espiritual y creativa que pesa más o al menos compensa de las frustraciones y la tristeza de ser ignorado o condenado por los críticos o incluso por los colegas. (Habla con cualquier artista, músico o escritor que trabaje al margen de los gustos de la mayoría y te lo confirmará.) Pensar en por qué quieres levantarte por la mañana y después hacerlo es mucho más difícil y aterrador que alinearte con el universo y leer una afirmación diaria. Recrearse en lo que deseamos de manera constante puede inmovilizarnos y provocarnos angustia.

315

«No se puede encontrar la felicidad sólo porque se busque deliberadamente –escribe Mihaly Csikszentmihalyi en *Flow: The psychology of optimal experience* (1990)–. Únicamente implicándose plenamente en todas las facetas, tanto buenas como malas, de nuestras vidas seremos capaces de encontrar la felicidad.» Él afirma que esto se puede lograr a base de dominar el contenido de nuestra conciencia, *que no hay que confundir con el pensamiento positivo*. «Los mejores momentos –dice él en su libro– suelen suceder cuando el cuerpo o la mente de una persona llega hasta el límite en un esfuerzo voluntario por conseguir algo difícil y que merezca la pena... Estas experiencias no siempre son agradables cuando suceden.»

Así pues, deja el teléfono móvil, desconecta tu iPod, apaga el televisor, rompe tu lista de afirmaciones y empieza a vivir.

Como dijo Franklin Delano Roosevelt en su primer discurso de investidura: «La felicidad estriba no en la mera posesión de dinero, sino en la alegría por los logros alcanzados, en la emoción del esfuerzo creativo».

LECTURAS ADICIONALES

La siguiente lista no es en absoluto exhaustiva. Si no aparecen incluidos aquí tus libros favoritos sobre budismo o Beethoven, por favor, no te ofendas. Es una selección basada en el consejo de los expertos y en mi propia investigación, como medio de iniciación para muchos de los temas que se tratan en este libro. He reseñado las obras, en la medida de lo posible, en ediciones que todavía están disponibles. La mayoría están a la venta y las que no lo están se pueden adquirir de segunda mano en sitios web como AbeBooks.com, Alibris.com, Amazon.com, BN.com y Powells.com. Además, los estudios que incluyo en la lista se pueden conseguir en los archivos de las publicaciones en que aparecen.

Socialismo cristiano y escritores y críticos del Nuevo Pensamiento

Behrend, Genevieve y Joe Vitale, *How to attain your desires by letting your subconscious mind work for you*, vol. 1, Morgan James Publishing, Garden City, 2004. El libro de Behrend apareció originalmente con el título *Attuinig your desires by letting your subconscious mind work for you*.

Collier, Robert, *Be rich! The science of getting what you want*, Robert Collier Publishing, Oak Harbor, 1970.

—, *The secret of the ages*, 1917. Reedición Pocketbook/Robert Collier Publishing, Nueva York, 1978.

Crunden, Robert M., *Ministers of reform: The progressives' achievement in American civilization 1889-1920*, University of Illinois Press, Chicago, 1985.

Haanel, Charles, *The master key system*, 1916. Reproducción: Kessinger Publishing, Whitefish, 2003. Disponible en www.psitek.net. Versión castellana de Verónica D'Ornellas, *La llave maestra: 24 lecciones para alcanzar el éxito y la prosperidad*, Obelisco, Barcelona, 2007.

Herron, George D., *The christian state: A political vision of Christ*, 1895. Reedición: Adamant Media Corporation, Boston, 2001.

Hill, Napoleon, *Law of success, The 21. century edition*, 1928. Reedición: High Roads Media, Arden, 2004.

Versión castellana de Verónica D'Ornellas, *Las leyes del éxito*, Obelisco, Barcelona, 2006.

—, *Think and grow rich: the original version, restored and revised*, 1937. Reedición: Aventine Press, San Diego, 2004. Versión castellana de José Manuel Pomares, *Piense y hágase rico*, Debolsillo (Colección Autoayuda), Barcelona, 2005.

Huxley, Aldous, *Brave new world*, 1932. Reedición: Harper Perennial Modern Classics, Nueva York, 1998. Versión castellana de Ramón Hernández, *Un mundo feliz*, Plaza y Janés, Barcelona, 1983.

James, William, *The principles of psychology*, 1890. Disponible en Internet en psychclassics.yorku.ca/ James/Principles/Index.htm.

—, *The varieties of religious experience*, 1902. Reedición: BiblioBazaar, Charleston, 2007.

—, *The will to believe*, 1896. Reedición: Cosimo, Nueva York, 2005.

Marden, Orison Swett, *How to get what you want*, 1917. Reedición: Book Jungle, Champaign, 2006.

—, *Pushing to the front*, 1894. Reedición: Cosimo, Nueva York, 2005. Versión castellana de Federico Climent, *¡Siempre adelante!*, Ampurias, 1959.

Meyer, Donald, *The positive thinkers: Popular religious psychology from Mary Baker Eddy to Norman Vincent Peale and Ronald Reagan*, Wesleyan University Press, Middletown, 1988.

Peale, Norman Vincent, *The power of positive thinking*, 1952. Reedición: Ballantine Books, Nueva York, 1996. Versión castellana de Jaime Díaz Rozzoto, *El poder del pensamiento tenaz*, Random House Mondadori, Barcelona, 2002.

Satter, Beryl, *Each mind a kingdom: Women, sexual purity, and the New Thought movement, 1875-1920*, University of California Press, Berkeley, 2001.

Towne, Elizabeth, *Experiences in self-healing*, 1905. Reedición: Cosimo, Nueva York, 2007.

—, *Joy philosophy*, 1903. Reedición: Kessinger Publishing, Whitefish, 2004.

Wattles, Wallace, *The science of getting rich*, 1910. Reedición: BN Publishing, Rockford, 2006. Versión castellana de Redactores en Red, *La ciencia de hacerse rico*, Nowtilus, Madrid, 2007.

Medios de comunicación y cultura

Belton, John, *American cinema /American culture*, 2ª ed., McGraw-Hill, Nueva York, 2004.

—, *Movies and mass culture*, Athlone Press, Londres, 1999.

Jenkins, Henry, *Convergence culture: Where old and new media collide*, Nueva York University Press, Nueva York, 2006.

Kremer, John, *1001 ways to market your book*, 6ª ed., Open Horizons, Taos, 2006.

Psicología y sociología

Csikszentmihalyi, Mihaly, *Flow, the psychology of optimal experience*, Harper Collins, Nueva York, 1990.
Langer, Ellen J., *Mindfulness*, Addison Wesley, Boston, 1990. Versión castellana de Beatriz López, *Cómo obtener una mentalidad abierta*, Altaya, Barcelona, 1995.
—, *On becoming an artist: Reinventing yourself through mindful creativity*, Ballantine Books, Nueva York, 2006. Versión castellana de Óscar Fontrodona, *La creatividad consciente: de cómo reinventarse mediante la práctica del arte*, Paidós Ibérica, Barcelona, 2006.
—, *The power of mindful learning*, Perseus, Nueva York, 1998. Versión castellana, *El poder del aprendizaje consciente*, Gedisa, Barcelona, 2000.
Seligman, M. E. P., *Learned optimism*, Pocket Books, Nueva York, 1998.
Twenge, Jean M. *Generation me : Why today's young Americans are more confident, assertive, entitled —and more miserable than ever before*, Free Press, Nueva York, 2007.

El efecto placebo y la investigación del Nuevo Pensamiento sobre la salud

Los estudios que se mencionan son sólo una parte de la investigación que se ha realizado sobre psicología y salud.

LIBROS

Brody, Howard y Daralyn Brody, *The placebo response: How you can release the body's inner pharmacy for better health*, Harper Perennial, Nueva York, 2001.

ESTUDIOS

Duckworth, A. L. y M. E. P. Seligman, «Self-discipline outdoes IQ in predicting academic performance of adolescents», *Psychological Science*, 16 (2006), pp. 939-944.

Fitzgerald, T. E. *et al.*, «The relative importance of dispositional optimism and control appraisals in quality of life after coronary bypass surgery», *Journal of Behavioral Medicine*, 16 (1993), pp. 25-43.

Gillham, J. E. y M. E. P. Seligman, «Footsteps on the road to positive psychology», *Behaviour Research and Therapy*, 37 (1999), pp. S163-S173.

Isaacowitz, D. M., G. E. Vaillant y M. E. P. Seligman, «Strengths and satisfaction across the adult lifespan», *International Journal of Aging and Human Development*, 57(2) (2003), pp. 181-201.

Peterson, C., N. Park y M. E. P. Seligman, «Greater strengths of character and recovery from illness», *Journal of Positive Psychology*, 1 (1) (2006), pp. 17-26.

—, «Orientations to happiness and life satisfaction: The full life versus the empty life», *Journal of Happiness Studies*, 6 (1) (2005), pp. 25-41.

—, «Reply: Strengths of character and well-being: A closer look at hope and modesty», *Journal of Social and Clinical Psychology*, 23 (5) (2004), pp. 628-634.

—, «Strengths of character and well-being», *Journal of Social and Clinical Psychology*, 73 (2004), pp. 603-619.

Robinson-Whelan, S. et al., «Distinguishing optimism from pessimism in older adults: Is it more important to be optimistic or not to be pessimistic?», *Journal of Personality and Social Psychology*, 73 (1997), pp. 1345-1353.

Scheier, M. F. y C. S. Carver, «Effects of optimism on psychological and physical well-being: Theoretical overview and empirical update», *Cognitive Therapy and Research*, 16 (1992), pp. 201-228.

— y M. W. Bridges, «Distinguishing optimism from neuroticism (and trait anxiety, self-mastery, and self-esteem: A reevaluation of the life-orientation test», *Journal of Personality and Social Psychology*, 67 (1994), pp. 1063-1078.

Física

Albert, David Z., *Quantum mechanics and experience and time and chance*, Harvard University Press, Cambridge, 1994.

Capra, Fritjof, *Eastern mysticism*, Shambhala, Boston, 2000.

Einstein, Albert, *Relativity: The general and the special theory*, Penguin Classics, Nueva York, 2006. Versión castellana de Miguel Paredes Larrucea *et al.*, *Sobre la teoría especial y la teoría general de la relatividad; el significado de la relatividad*, Planeta-Agostini, Barcelona, 1985.

Feynman, Richard P., *Surely you're joking, Mr. Feynman! Adventures of a curious character*, W. W. Norton, New York, 1997. Versión castellana de Luis Bou, *¿Está Ud. de broma, Sr. Feynman?: aventuras de un curioso personaje tal como le fueron referidas a Ralph Leighton*, Alianza Editorial D. L., Madrid, 1987.

—, Robert B. Leighton y Matthew Sands, *The Feynman lectures on physics: The definitive and extended edition*, 2ª ed., Addison Wesley, Boston, 2005.

Griffiths, Robert B., *Consistent quantum theory*, Cambridge University Press, Cambridge, 2004.

Hawking, Stephen, *A brief history of time*, 10th anniversary edition, Bantam, Nueva York, 1998. Versión castellana de David Jou, *Brevísima historia del tiempo*, Crítica, Barcelona, 2006.

—, *God created the integers: The mathematical breakthroughs that changed history*, Running Press Book Publishers, Filadelfia, 2005. Versión castellana de Ubaldo Irizo Ariz, *Dios creó los números: los descubrimientos matemáticos que cambiaron la historia*, Crítica, Barcelona, 2006.

—, *The universe in a nutshell*, Bantam, Nueva York, 2001. Versión castellana de David Jou, *El universo en una cáscara de nuez*, Crítica, Barcelona, 2002.

Penrose, Roger, *Shadows of the mind: A search for the missing science of consciousness*, Oxford University Press, Nueva York, 1996. Versión castellana de Javier García Sanz, *Las sombras de la mente: hacia una comprensión científica de la conciencia*, Crítica, Barcelona, 1996.

—, *The emperor's new mind: Concerning computers, minds, and the laws of physics*, Oxford University Press, Nueva York, 2002. Versión castellana de Javier García Sanz, *La nueva mente del emperador*, Grijalbo Mondadori, Barcelona, 1999.

—, *The road to reality: A complete guide to the laws of the universe*, Vintage, Nueva York, 2007. Versión castellana de Javier García Sanz, *El camino a la realidad: una guía completa de las leyes del universo*, Debate, Barcelona, 2006.

—, Stephen Hawking, et al., *The large, the small and the human mind*, Cambridge University Press, Cambridge, 2000. Versión castellana de Javier García Sanz, *Lo grande, lo pequeño y la mente humana*, Akal, Madrid, 2006.

Stenger, Victor J., *The unconscious quantum: Metaphysics in modern physics and cosmology*, Prometheus Books, Amherst, 1995.

Wolf, Fred Alan, *The Tao of physics: An exploration of the parallels between modern physics y taking the quantum leap*, rev. ed., Harper Perennial, Nueva York, 1989.

Zukav, Gary, *The dancing wu li masters*, Harper Perennial Modern Classics, Nueva York, 2001. Versión castellana de Joaquín Adsuar, *La danza de los maestros del wu li*, Plaza y Janés, Barcelona, 1991.

Ciencia del cerebro

Begley, Sharon, *Train your mind, change your brain: How a new science reveals our extraordinary potential to transform ourselves*, Ballantine Books, Nueva York, 2007.

Bremner, J. Douglas, *Does stress damage the brain? Understanding trauma-related disorders from a mind-body perspective*, W. W. Norton, Nueva York, 2005.

Doidge, Norman, *The brain that changes itself: Stories of personal triumph from the frontiers of brain science*, Viking, 2007.

Religión

CRISTIANISMO

Johnson, Paul, *A history of Christianity*, Touchstone, Nueva York, 1979. Versión castellana de Aníbal Leal y Fernando Mateo, *Historia del cristianismo*, Ediciones B, Barcelona, 2004.

Lewis, C. S., *Mere Christianity*, Harper SanFrancisco, San Francisco, 2001. Versión castellana de Verónica Fernández Muro, *Mero cristianismo*, Rialp, Madrid, 2005.

Thomas, Oliver, *10 things your minister wants to tell you (but can't because he needs the job)*, St. Martin's Press, Nueva York, 2007.

MISTICISMO JUDÍO

Cohen-Sherbok, Dan, *Kabbalah and Jewish mysticism: An introductory anthology*, Oneworld Publications, Oxford, 2006.

Dennis, Geoffrey W., *Encyclopedia of Jewish myth, magic and mysticism*, Llewellyn, Woodbury, 2007.

BUDISMO

Seager, Richard, *Buddhism in America*, Columbia University Press, Nueva York, 2000.
—, *Buddhist humanism*, University of California Press, Berkeley, 2006.
Suzuki, D. T., *Encountering the drama: Daisaku Ikeda, Soka Gakkai, and the globalization of an introduction to Zen buddhism*, Grove Press, Nueva York, 1994.

CIENCIA CRISTIANA

Cather, Willa y Georgine Milmine, *The life of Mary Baker G. Eddy and the history of Christian Science*, University of Nebraska Press, Lincoln, 1993.
Eddy, Mary Baker, *Science and health with key to the scriptures*, 1875. Reedición: Writings of Mary Baker Eddy Publishing, Boston, 1984. Versión castellana, *Ciencia y salud con clave de las escrituras*, Albaceas fiduciarios de Mary Baker G. Eddy, Boston, 1947.

Biografías

LUDWIG VAN BEETHOVEN

Forbes, Elliot, (ed.), *Thayer's life of Beethoven*, Princeton University Press, Princeton, 1973.

Schindler, Anton Felix, *Beethoven as I knew him*, Dover Books, Nueva York, 1996.

Solomon, Maynard, *Beethoven*, 2ª ed. rev., Schirmer Trade Books, Nueva York, 2001. Versión castellana de Aníbal Leal, *Beethoven*, Javier Vergara, Barcelona, 1985.

Sonneck, O. G., (ed.), *Beethoven impressions by his contemporaries*, Dover Books, Nueva York, 1967.

Sullivan, J. W. N., *Beethoven: His spiritual development*, 1927. Reedición: Kessinger Press, Whitefish, 2003.

WILLIAM SHAKESPEARE

Dutton, Richard, *William Shakespeare: A literary life*, Macmillan, Nueva York, 1989.

Greenblatt, Stephen, *Will in the world: How Shakespeare became Shakespeare*, W. W. Norton, Nueva York, 2004.

Honan, Park, *Shakespeare: A life*, Oxford University Press, Nueva York, 1998.

Nuttall, A. D., *Shakespeare the thinker*, Yale University Press, New Haven, 2007.

Schoenbaum, S., *William Shakespeare: A compact documentary life*, Oxford University Press, Nueva York, 1977.

RALPH WALDO EMERSON

Emerson, Ralph Waldo, *Emerson's prose and poetry: A reader*, W. W. Norton, Nueva York, 2001.

Geldard, Richard, *The spiritual teachings of Ralph Waldo Emerson* 2ª ed. rev. , Lindisfarne Books, Great Barrington, 2001.

Myerson, Joel, (ed.), *Transcendentalism: A reader*, Oxford University Press, Nueva York, 2000.

THOMAS EDISON

Baldwin, Neil, *Edison: Inventing the century*, Hyperion, Nueva York, 1995.

Bryan, George, *Edison: The man and his work*, Alfred A. Knopf, Nueva York, 1926.

Israel, Paul, *Edison: A life of invention*, Wiley, Hoboken, 2000.

Stross, Randall E., *The wizard of Menlo Park: How Thomas Alva Edison invented the modern world*, Crown, Nueva York, 2007.

WINSTON CHURCHILL

Churchill, Winston, *My early life: 1874-1904*, 1930. Reedición: Touchstone, Nueva York, 1996.
Keegan, John, *Winston Churchill*, Penguin Lives, Nueva York, 2002.

ALBERT EINSTEIN

Clark, Ronald W., *Einstein: The life and times*, Harper
Perennial, Nueva York, 2007.
Einstein, Albert, *Ideas and opinions*, 1955. Reedición:
Souvenir Press, Londres, 2005. Versión castellana
de José M. Álvarez y Ana Goldar, *Mis ideas y opi-
niones*, Bon Ton, Barcelona, 2000.
—, con Banesh Hoffman, y Helen Dukas, (eds.), *Al-
bert Einstein: The human side*, Princeton University
Press, Princeton, 1979.
Isaacson, Walter, *Einstein: His life and universe*, Simon
and Schuster, Nueva York, 2007.
Overbye, Dennis, *Einstein in love: A scientific romance*,
Penguin, Nueva York, 2001. Versión castellana de
Juan Manuel Ibeas, *Las pasiones de Einstein*, Lu-
men, Barcelona, 2005.

ANDREW CARNEGIE

Carnegie, Andrew y Gordon Hutner, *The autobio-graphy of Andrew Carnegie and the gospel of wealth*, Signet Classics, Nueva York, 2006.

Nasaw, David, *Andrew Carnegie*, Penguin, Nueva York, 2006.

HENRY FORD

Ford, Henry, *The international Jew: The world's foremost problem*. 1920-1922. Reedición: Liberty Bell Publications, Reedy, 2004. Versión castellana de Bruno Wenzel, *El judío internacional: un problema del mundo*, Ojeda, Barcelona, 2006.

—, *My life and work*, 1926. Disponible en Internet en www.gutenberg.org.

Segal, Howard P., *Recasting the machine age: Henry Ford's village industries*, University of Massachusetts Press, Amherst, 2005.

ÍNDICE